Corpo e mente em harmonia

Dados Internacionais de Catalogação na Publicação (CIP)
(Câmara Brasileira do Livro, SP, Brasil)

Hanh, Thich Nhat
Corpo e mente em harmonia : andando rumo à iluminação / Thich Nhat Hanh ; tradução de Gisele Senne de Moraes. 2. ed. – Petrópolis, RJ : Vozes, 2012.

Título original: Buddha mind, Buddha body : walking toward enlightenment

3ª reimpressão, 2024.

ISBN 978-85-326-3867-0

1. Meditação – Budismo 2. Vida espiritual – Budismo I. Título.

09-04083   CDD-294.3444

Índices para catálogo sistemático:

1. Corpo e mente : Harmonia : Budismo : Prática religiosa   294.3444

Thich Nhat Hanh

Corpo e mente em harmonia

Andando rumo à iluminação

Tradução de Gisele Senne de Moraes

Petrópolis

© 2007 by Plum Village Community of Engaged Buddhism, Inc.

Tradução do original em inglês intitulado
Buddha Mind, Buddha Body – Walking Toward Enlightenment.

Direitos de publicação em língua portuguesa – Brasil:
2009, Editora Vozes Ltda.
Rua Frei Luís, 100
25689-900Petrópolis, RJ
www.vozes.com.br
Brasil

Todos os direitos reservados. Nenhuma parte desta obra poderá ser reproduzida ou transmitida por qualquer forma e/ou quaisquer meios (eletrônico ou mecânico, incluindo fotocópia e gravação) ou arquivada em qualquer sistema ou banco de dados sem permissão escrita da Editora.

CONSELHO EDITORIAL

Diretor
Volney J. Berkenbrock

Editores
Aline dos Santos Carneiro
Edrian Josué Pasini
Marilac Loraine Oleniki
Welder Lancieri Marchini

Conselheiros
Elói Dionísio Piva
Francisco Morás
Gilberto Gonçalves Garcia
Ludovico Garmus
Teobaldo Heidemann

Secretário executivo
Leonardo A.R.T. dos Santos

PRODUÇÃO EDITORIAL

Aline L.R. de Barros
Marcelo Telles
Mirela de Oliveira
Otaviano M. Cunha
Rafael de Oliveira
Samuel Rezende
Vanessa Luz
Verônica M. Guedes

Conselho de projetos editoriais
Luísa Ramos M. Lorenzi
Natália França
Priscilla A.F. Alves

Editoração: Fernando Sergio Olivetti da Rocha
Projeto gráfico: Anthares Composição
Capa: Omar Santos

ISBN 978-85-326-3867-0 (Brasil)
ISBN 978-1-888375-75-6 (Estados Unidos)

Este livro foi composto e impresso pela Editora Vozes Ltda.

Sumário

Prefácio (Sylvia Boorstein), 7

1. Dois pés, uma mente, 9

2. Como a mente funciona, 13

3. Encontrando sua mente, 29

4. O rio de consciência, 47

5. Percepção e realidade, 67

6. Oportunidade para livre-arbítrio, 91

7. O hábito da felicidade, 115

8. Caminhando com os pés de Buda, 137

9. Exercício para a nutrição de um corpo buda e de uma mente buda, 159

   Meditação em caminhada, 159

   Tocar a terra, 163

   Relaxamento profundo, 173

Apêndices, 177

A. Os versos sobre as características das oito consciências, 179

B. Cinquenta e uma formações mentais, 185

Prefácio

Sylvia Boorstein

Uma imagem obrigatória que sumariza este livro maravilhoso e reconfortante surge na página de abertura. Digamos que você está tendo problemas com um computador. Seu irmão mais velho chega quando você está prestes a desistir e diz: "Sai de lado, eu vou assumir". Você se tranquiliza mesmo antes de o problema ser resolvido.

O irmão mais velho é o Buda dentro de cada um de nós, nossa mais clara compreensão. E Thich Nhat Hanh, que é a amigável, paciente, estável, confiante, contemporânea e talentosa voz dele, parece, a meu ver, um irmão mais velho intermediário. Em cada página deste livro, ele fala diretamente a nós, dizendo: "Olhe! Aí dentro de você há a sabedoria que leva à compaixão".

Este é um livro curto, mas tudo dentro dele está articulado com poesia, com imagens tradicionais do budismo, com vocabulário religioso da tradição do Ocidente. Isto deveria dizer tudo e, ainda, a apresentação em uma linguagem universal é completamente consistente com a sua mensagem subjacente: Não há nada que exista separado de todo resto. O entre-se é tudo que existe. É impossível ler este livro sem ser inspirado a redobrar nossos esforços em nome de todos os seres, em nome do planeta, sabendo que estes esforços irão também conduzir até a nossa própria felicidade.

1

Dois pés, uma mente

No Sutra Lótus, o Buda é descrito como a mais respeitada e amada criatura sobre dois pés. Ele foi muito amado porque sabia como apreciar uma boa caminhada. Caminhar é uma importante forma de meditação no budismo. Pode ser um exercício profundamente espiritual. Mas quando o Buda caminhava, fazia-o sem esforço. Ele simplesmente sentia prazer por caminhar. Ele não tinha que se esforçar, pois, quando você caminha em plena atenção, entra em contato com todas as maravilhas da vida dentro e fora de você. Esta é a melhor forma de se exercitar, sem que se pareça com exercício. Você não faz nenhum esforço, não luta, simplesmente sente prazer ao caminhar, mas isto é muito profundo. "Meu exercício", disse o Buda, "é o exercício do não exercício, a realização da não realização"[1].

Para muitos de nós, a ideia de exercício sem esforço, de prazer relaxado da plena atenção, parece muito difícil. Isto porque nós não caminhamos com nossos pés. É claro que, fisicamente, nossos pés estão fazendo a caminhada, mas, como nossas mentes estão em algum outro lugar, nós não estamos caminhando com nosso corpo completo e nossa consciência completa. Nós vemos nossas mentes e nossos corpos como duas coisas separadas. Enquanto nossos corpos estão caminhando para um lado, nossa consciência está nos puxando para uma direção diferente.

---

[1] Esta frase está no Sutra de Quarenta e Dois Capítulos, o primeiro Sutra a ser introduzido na China e no Vietnã, a partir da Índia.

Corpo e mente em harmonia

Para o Buda, mente e corpo são dois aspectos de uma mesma coisa. Caminhar é tão simples quanto colocar um pé na frente do outro. Mas, frequentemente, nós achamos isto difícil ou entediante. Nós dirigimos alguns quarteirões, em vez de caminhar, para "economizar tempo". Quando entendemos a conexão entre nossos corpos e mentes, a simples atividade de caminhar como o Buda pode se tornar extremamente fácil e prazerosa.

Caminhando como o Buda

Você pode dar um passo e tocar a terra de uma forma tal que você se posicione no momento presente e, assim, você chegará ao aqui e agora. Você não necessita fazer nenhum esforço. Seus pés tocam a terra em plena atenção e você, certamente, chegará ao aqui e agora. E, de repente, você está livre – livre de todos os seus projetos, todas as preocupações, todas as expectativas. Você está totalmente presente, totalmente vivo e você está tocando a terra.

Quando você estiver só, praticando meditação em caminhada lenta, pode tentar isto: Inspire, dê um passo e focalize todas as suas atenções à sola de seu pé. Se você não tiver chegado totalmente ao aqui e agora, não dê o próximo passo. Você tem a possibilidade de fazer isto. Então, quando estiver certo de que chegou, 100%, ao aqui e agora, tocando, profundamente, a realidade, sorria e dê o próximo passo. Quando você caminha assim, você imprime sua estabilidade, sua solidez, sua liberdade, sua alegria no solo. Seu pé é como um carimbo. O carimbo do imperador. Quando você carimba um pedaço de papel, o carimbo marca uma impressão. Olhando para sua pegada, o que vemos? Vemos a marca da liberdade, a marca da solidez, a marca da felicidade, a marca da vida. Tenho certeza de que você pode dar um passo como este, porque há um buda dentro de você. A capacidade de estar ciente ao que está acontecendo é denominada natureza do Buda. E o que está acontecendo: estou vivo, estou dando um passo. Uma pessoa, um ser humano, *Homo Sapiens*, deveria ser capaz de fazer isto. Há um buda em todos nós e deveríamos permitir que ele caminhasse.

Até nas situações mais difíceis você pode caminhar como o Buda. No ano passado, em março, estávamos visitando a Coreia e houve um momento em que estávamos cercados por centenas de pessoas. Cada um que nos rodeava possuía uma câmera e as pessoas estavam se aproximando cada vez mais. Não havia passagem para caminhar e todos apontavam suas câmeras para nós. Era uma situação muito difícil para fazer meditação em caminhada. E eu disse: "Querido Buda, desisto, você caminha por mim". Em seguida, o Buda veio e caminhou, com total liberdade. E a multidão simplesmente abriu espaço para o Buda caminhar; nenhum esforço foi feito.

Se você se encontrar com alguma dificuldade, dê um passo para o lado e permita que o Buda tome seu lugar. O Buda está dentro de você. Isto sempre funciona. Eu tentei. É como ter um problema quando se está usando o computador. Você não consegue sair da situação. Mas, então, seu irmão mais velho, que é muito hábil com computadores, chega e diz: "Sai de lado, eu vou assumir". Tudo fica bem no momento em que ele se senta. É assim. Quando você encontrar algo difícil, retire-se e permita que o Buda assuma. É muito fácil. E, para mim, sempre funciona. Você tem que ter fé no Buda dentro de você e deixar que ele caminhe e, também, deixar que as pessoas que são queridas a você caminhem.

Quando você caminha, para quem você caminha? Você pode caminhar para chegar a algum lugar, mas também pode caminhar como uma forma de oferta de meditação. É muito bom caminhar por seus pais ou avós que podem não conhecer a prática da caminhada em plena atenção. Seus antepassados podem ter passado toda vida sem a oportunidade para dar passos em paz e felizes e para estabelecer a si mesmos totalmente no momento presente. Isto é uma pena, mas não temos que repetir esta situação.

Você pode caminhar com os pés da sua mãe? Pobre mãe, ela não teve muita oportunidade para caminhar assim. Você pode falar: "Mãe, você gostaria de caminhar comigo?" E, então, você caminha com ela e seu coração se preencherá de amor. Você se liberta e a liberta ao mesmo tempo, porque é verdade que sua mãe está dentro de você, em todas as células do seu corpo. Seu pai também está em todas as células de seu corpo. Você pode falar: "Pai, você gostaria de me acompanhar?" E, de repente, você caminha com os pés do seu pai. É um prazer. É muito compensador. E garanto que não é difícil. Você não tem que lutar e se debater para fazer isto. Apenas se torne atento e tudo dará certo.

Depois de ter conseguido caminhar por seus entes queridos, você pode caminhar para as pessoas que tornaram sua vida miserável. Você pode caminhar por aqueles que atacaram você, que destruíram sua casa, seu país e seu povo. Estas pessoas não eram felizes. Elas não tiveram amor suficiente para si e para outras pessoas. Elas tornaram a sua vida, a da sua família e a do seu povo miserável. Mas vai haver um tempo em que você será capaz de caminhar por eles também. Caminhando assim, você se torna um buda, você se torna um *bodhisattva* cheio de amor, compreensão e compaixão.

2
Como a mente funciona

Antes de podermos caminhar por nossos antepassados, antes de podermos caminhar por aqueles que nos prejudicaram, nós precisamos aprender a caminhar por nós mesmos. Para tanto, precisamos compreender nossas mentes e a conexão que existe entre nossos pés e nossas cabeças. O mestre Zen vietnamita Thuong Chieu disse: "Quando compreendemos como nossa mente funciona, nossa prática se torna fácil". Em outras palavras, se pudermos caminhar em plena atenção com nossa consciência, nossos pés irão naturalmente nos acompanhar.

O Buda ensinou que a consciência está sempre em continuidade, como uma corrente de água. Há quatro tipos de consciência: a consciência da mente, a consciência dos sentidos, a consciência armazém e consciência mana. Algumas vezes, estes quatro tipos de consciência são considerados oito, uma vez que a consciência dos sentidos pode ser dividida em cinco (olhos, ouvidos, boca, nariz e tato). Quando nós caminhamos com atenção, todas as quatro camadas de consciência funcionam.

A consciência da mente é o primeiro tipo de consciência. Ela consome a maior parte de nossa energia. A consciência da mente é a consciência "trabalhadora", aquela que faz julgamentos e planos; é a parte de nossa consciência que se preocupa e que analisa. Quando falamos de nossa consciência da mente, estamos também falando de consciência corporal, porque a consciência da mente não é possível

Corpo e mente em harmonia

sem o cérebro. Corpo e mente são simplesmente dois aspectos da mesma coisa. Corpo sem consciência não é um corpo real e vivo. E a mente não pode se manifestar sem um corpo.

Nós podemos nos treinar para eliminar a falsa diferenciação entre cérebro e consciência. Não deveríamos dizer que consciência nasce a partir do cérebro, pois o contrário é verdadeiro: o cérebro nasce a partir da consciência. O cérebro representa apenas 2% do peso corporal, mas consome 20% da energia do corpo. Desta forma, usar a consciência da mente é muito dispendioso. Pensamento, preocupação e planejamento são processos que consomem muita energia.

Nós podemos economizar energia treinando nossa consciência da mente com o hábito da plena atenção. A plena atenção nos mantém no momento presente e permite que a consciência da mente relaxe, o que libera a energia das preocupações com relação ao passado e com relação às expectativas de futuro.

O segundo nível de consciência é a consciência dos sentidos, a consciência que acompanha nossos cinco sentidos: visão, audição, paladar, tato e olfato. Quando caminhamos, também usamos este tipo de consciência. Nós vemos o que está na nossa frente, nós provamos e sentimos o aroma do ar, ouvimos sons e nossos pés tocam a terra. Algumas vezes, chamamos estes sentidos de portões ou portais, porque todos os objetos da percepção entram na consciência através de nosso contato sensorial com eles. A consciência dos sentidos sempre envolve três elementos: primeiro, os órgãos dos sentidos (olhos, ouvidos, nariz, boca ou corpo/pele); segundo, o objeto dos sentidos (o que cheiramos ou ouvimos); e, finalmente, nossa experiência com o que estamos vendo, ouvindo, cheirando, provando ou tocando.

A terceira camada de consciência, a consciência armazém, é a mais profunda. Há muitos nomes para este tipo de consciência. Na tradição Mahayana, ela é chamada de consciência armazém, ou *alaya*, em sânscrito. A tradição Therevada usa a palavra páli *bhavanga* para descrever esta consciência. *Bhavanga* significa estar constantemente em fluxo, como um rio. A consciência armazém é também denominada, algumas vezes, de consciência raiz (*mulavijñana* em sânscrito) ou *sarvabijaka*, que significa "a totalidade das sementes". Em vietnamita, chamamos a consciência armazém de *tang*. *Tang* significa manter ou preservar.

Estes nomes diferentes dão indicações dos três aspectos da consciência armazém. O primeiro significado é de lugar, um armazém, onde todos os tipos de sementes e informações são mantidos. Uma semente de mostarda é muito pequena. Mas se a semente de mostarda tiver a oportunidade de brotar, a casca externa irá quebrar e, o que é muito pequeno, por dentro, irá se tornar muito grande – uma enorme planta de mostarda. Nos evangelhos, há a imagem de uma semente de mostarda que possui a capacidade de se tornar uma árvore enorme, onde muitos pássaros podem vir e se refugiar[2]. A semente de mostarda é o símbolo do conteúdo da consciência armazém. Tudo que vemos e tocamos possui uma semente que fica no fundo da consciência armazém.

O segundo significado é sugerido pela palavra vietnamita *tang*, porque a consciência armazém não inclui somente todas as informações, ela também guarda e preserva as informações. O terceiro significado é sugerido pela expressão *bhavanga*, no sentido de processar e transformar.

A consciência armazém é como um museu. Um museu só pode ser chamado de museu quando há coisas nele. Quando não há nada nele, você pode chamá-lo de prédio, mas não de museu. O mantenedor é a pessoa responsável pelo museu. A função dele é manter os diversos objetos preservados e não permitir que eles sejam roubados. Mas para

---

[2] Mt 13,31; Mc 4,31; Lc 13,19.

Corpo e mente em harmonia

isso é preciso haver coisas que devem ser armazenadas e mantidas. A consciência armazém se refere à armazenagem e também àquilo que é armazenado – qual seja, toda informação do passado, de nossos antepassados e toda informação recebida das outras consciências. Na tradição budista, esta informação é armazenada como *bija*, sementes.

Imagine que você tenha ouvido um canto pela primeira vez nesta manhã. Sua orelha e a música se juntam e provocam a manifestação da formação mental denominada toque, que faz com que a consciência armazém vibre. Esta informação, uma nova semente, cai no *continuum* do armazém. A consciência armazém possui a capacidade de receber e armazenar a semente em seu coração. A consciência armazém preserva toda informação que recebe. Mas a função da consciência armazém não é somente receber e armazenar estas sementes, é também processar a informação.

O trabalho de processamento neste nível não é dispendioso. A consciência armazém não gasta muita energia como, por exemplo, a consciência da mente. A consciência armazém pode processar esta informação sem muito trabalho. Então, se você deseja economizar sua energia, não pense muito, não planeje muito, não se preocupe muito. Deixe a consciência armazém fazer a maior parte do trabalho de processamento.

A consciência armazém trabalha na ausência da consciência da mente. Ela pode fazer muitas coisas. Ela pode fazer diversos planejamentos; pode tomar muitas decisões sem que você saiba disto. Quando nós vamos a uma loja de departamentos e procuramos um chapéu ou uma saia, por exemplo, temos a impressão, enquanto estamos olhando os itens expostos, de que possuímos livre-arbítrio e de que, sendo possível financeiramente, estamos livres para escolher o que quer que desejemos. Se o vendedor nos questiona sobre o que desejamos, podemos apontar ou verbalizar o objeto de nosso desejo.

Como a mente funciona

Igualmente, temos a impressão de que somos pessoas livres naquele momento, usando nossa consciência da mente para selecionar as coisas de que gostamos. Mas isto é uma ilusão. Tudo já foi decidido na consciência armazém. No momento em que somos abordados, não somos pessoas livres. Nosso senso de beleza, de gostar ou desgostar, já foi decidido de forma muito precisa e muito discretamente no nível da consciência armazém.

Sermos livres é uma ilusão. O grau de liberdade que nossa consciência da mente possui é, na verdade, muito pequeno. A consciência armazém determina diversas coisas que fazemos, porque ela continuamente recebe, acolhe, mantém, processa e decide sem a participação da consciência da mente. Mas se sabemos sobre a prática, podemos influenciar a consciência armazém; podemos ajudar a influenciar a forma como a nossa consciência armazém guarda e processa informações, para que ela tome as melhores decisões. Nós podemos influenciar a consciência armazém.

Como a consciência da mente e a consciência dos sentidos, a consciência armazém também consome energia. Quando você está próximo a um grupo de pessoas, apesar de querer ser você mesmo, você está consumindo as coisas delas, está consumindo a consciência armazém das pessoas do grupo. Nossa consciência é alimentada por outras consciências. A forma como tomamos decisões, o que gostamos e desgostamos, depende da maneira coletiva de enxergar as coisas. Você pode não achar que algo é bonito, mas se muita gente acha que este algo é bonito, então, lentamente, você acaba achando que a coisa é bonita também, porque a consciência individual é constituída a partir da consciência coletiva.

O valor do dólar é formado a partir do pensamento coletivo das pessoas e não somente a partir de elementos econômicos objetivos. Medos, desejos, expectativas das pessoas fazem o preço do dólar au-

Corpo e mente em harmonia

mentar ou cair. Somos influenciados pela forma coletiva de visão e de pensamento. É por isto que é muito importante selecionar as pessoas que são próximas a você. É muito importante se cercar de pessoas que possuem bondade amorosa, compreensão e compaixão, porque dia e noite somos influenciados pela consciência coletiva.

A consciência armazém nos oferece iluminação e transformação. Esta possibilidade está contida no terceiro significado dela, a natureza constantemente em fluxo. A consciência armazém é como um jardim onde podemos plantar as sementes de flores, frutas, legumes e hortaliças. As flores, frutas, legumes e hortaliças irão crescer. A consciência da mente é apenas o jardineiro. Um jardineiro pode ajudar a tomar conta da terra, mas o jardineiro tem que acreditar na terra, acreditar que ela pode oferecer frutas, flores, legumes e hortaliças. Como praticantes, nós não podemos confiar somente em nossa consciência da mente, temos que confiar em nossa consciência armazém também. Porque as decisões estão sendo tomadas lá embaixo.

Imagine que você digita uma coisa no computador e esta informação é armazenada no *hard drive*. O *hard drive* é como a consciência armazém. Apesar da informação não aparecer na tela, ela está lá. Você só precisa clicar e ela se manifestará. As *bija*, as sementes na consciência armazém, são como as informações que você armazena em seu computador. Se você quer, você clica e ajuda a informação a aparecer na tela da consciência da mente. A consciência da mente é como a tela e a consciência armazém é como o *hard drive*, porque pode armazenar muita coisa. A consciência armazém possui capacidade de armazenar, manter e preservar informações, para que estas não possam ser apagadas.

No entanto, diferentemente de informações no *hard drive*, todas as sementes são de natureza orgânica e podem ser modificadas. A semente do ódio, por exemplo, pode ser enfraquecida e sua energia

Como a mente funciona

pode ser transformada em energia de compaixão. A semente do amor pode ser regada e fortalecida. A natureza da informação que está sendo mantida e processada pela consciência armazém está sempre fluindo e mudando. Amor pode ser transformado em ódio, ódio pode ser transformado novamente em amor.

A consciência armazém também é vítima. Ela é um objeto de apego; ela não é livre. Na consciência armazém, há elementos de ignorância – ilusão, ira, medo – e estes elementos constituem uma força enérgica que agarra e que deseja possuir. Este é o quarto nível de consciência, chamado mana, que eu gosto de traduzir como "cogitação". A consciência denominada mana possui raízes na crença em um eu separado, na crença em uma pessoa. Esta consciência, o sentimento e o instinto chamado "eu sou", está profundamente arraigada na consciência armazém. Não é uma visão apreendida pela consciência da mente. A ideia de que há um eu separado de elementos não eu está intensamente assentada nas profundezas da consciência armazém. A função da consciência mana é aderir à consciência armazém como um eu separado.

Outra forma de pensar em mana é como consciência *adana*. *Adana* significa "apropriação". Imagine que uma parreira produz um broto e, então, o broto se volta para trás, agarra e envolve o tronco da árvore. Esta ilusão profundamente arraigada – a crença de que há um eu – está presente na consciência armazém como resultado da ignorância e do medo, incrementando uma energia que se volta para a consciência armazém, envolvendo-a e fazendo com que ela seja seu único objeto de amor.

Manas estão funcionando o tempo todo. Nunca abandonam a consciência armazém. Estão sempre envolvendo, aderindo ou grudando na consciência armazém. Manas acreditam que a consciência armazém é seu objeto de amor. Esta é a razão para a consciência armazém não ser

Corpo e mente em harmonia

livre. Há uma ilusão de que a consciência armazém sou "eu", de que ela é minha amada, de tal forma que não posso deixar que ela vá. Dia e noite há um segredo, uma profunda cogitação de que isto sou eu ou isto é meu; de que tenho que fazer tudo que posso para alcançar, para proteger e para fazer com que isto seja meu. Mana nasce e se enraíza na consciência armazém. Mana cresce da consciência armazém e se vira para consciência armazém, abraçando esta como um objeto: "Você é minha amada, você sou eu". A função da consciência mana é se apropriar da consciência armazém como algo seu.

Como as quatro consciências interagem

Agora temos os nomes das quatro camadas de consciência e podemos ver como elas interagem. O budismo, algumas vezes, fala da consciência armazém como o oceano da consciência e as outras consciências são descritas como ondas crescendo do oceano. Há um vento e este vento provoca a manifestação das outras consciências.

A consciência armazém é a origem, a raiz. Desta base, a mente se manifesta e funciona. Algumas vezes, ela resolve descansar e vai para casa, para a consciência armazém. Desta forma, a consciência armazém é o jardim e a consciência da mente é o jardineiro. A consciência chamada mana também surge da consciência armazém, mas ela acaba se virando e envolvendo a consciência armazém como algo que é da propriedade dela, como um objeto de amor. Ele faz isto dia e noite. Esta é razão para ser chamada de a amante.

Quando você se apaixona por alguém, você não se apaixona realmente pela pessoa. Você cria uma imagem que é consideravelmente distinta da realidade. Depois de conviver com esta pessoa por um ou dois anos, você descobre que a imagem que possui deste alguém é um tanto diferente da realidade. Apesar de a consciência mana nascer da consciência armazém, o modo dela olhar para a consciência armazém

Como a mente funciona

é repleto de ilusões e de percepções errôneas. Ela cria uma imagem da consciência armazém como objeto de amor dela e este objeto não é exatamente a realidade. Quando usamos uma câmera para tirar foto de alguém, a foto é apenas uma imagem, não é a pessoa. A consciência amante pensa que ama a consciência armazém, mas, na verdade, ela somente ama a imagem que criou. Um objeto da consciência pode tanto ser a coisa em si quanto a representação que você subjetivamente constrói dela.

Assim, há o jardineiro, a mente, e há a consciência amante, mana. A consciência da mente, no entanto, pode ser interrompida. Por exemplo, quando dormimos sem sonhar, a consciência da mente não está trabalhando. Quando estamos em coma, a consciência da mente para totalmente de funcionar. E há concentrações profundas em que a consciência da mente para completamente de trabalhar – não há pensamento, planejamento, nada – contudo, a consciência armazém continua operando. A meditação profunda em caminhada pode ser assim. Seu corpo está em movimento e a sua consciência armazém continua trabalhando, mas você não se dá conta disto.

A consciência da mente pode também funcionar independente-mente da consciência dos sentidos ou as duas podem trabalhar em cooperação uma com a outra. Imagine que você é convidado para uma exposição. Parado, em frente aos quadros, a consciência dos olhos está trabalhando. Num primeiro momento, talvez, a consciência dos olhos esteja olhando para a obra de arte sem pensamento e nenhum julga-mento. Mas por e retirar os olhos do objeto dura um pequeno *kshana*, um breve momento. Muito rapidamente, as experiências avançam e a consciência da mente sugere todos os tipos de avaliações, julgamentos e coisas deste tipo. Aí há cooperação entre dois tipos de consciência: a consciência da mente e a consciência dos olhos. Quando a cons-ciência da mente está trabalhando conjuntamente com a consciência

Corpo e mente em harmonia

dos sentidos recebe o nome de consciência associativa. Se você está absorto numa reflexão profunda, você não vê, não ouve, não toca mais nada. Neste lugar de profunda reflexão, a consciência da mente está trabalhando sozinha. Na meditação, você usa, normalmente, a consciência da mente independente. Nós fechamos os olhos, os ouvidos, não queremos ser perturbados pelo que vemos e ouvimos. A concentração está sendo realizada somente pela consciência da mente.

Há momentos também em que a consciência dos sentidos funciona em colaboração com a consciência armazém sem que chegue à mente. É engraçado, mas ocorre muito, muito frequentemente. Quando dirige seu carro, você possui condições de evitar diversos acidentes, mesmo que sua consciência esteja pensando em outras coisas. Você pode mesmo não estar pensando sobre dirigir. E, ainda assim, a maior parte do tempo, pelo menos, você não se envolve em um acidente. Quando você anda, raramente tropeça (ou, pelo menos, só ocasionalmente!). Isto ocorre porque as impressões e imagens fornecidas pela consciência dos olhos são recebidas pela consciência armazém e decisões são tomadas sem que nunca cheguem à consciência da mente. Quando alguém repentinamente segura algo perto dos seus olhos – por exemplo, se alguém está prestes a bater em você, ou alguém está prestes a cair em cima de você – você reage rapidamente. Esta reação rápida, esta decisão, não é feita pela consciência da mente. Se você tem que fazer manobras rápidas, não é a consciência da mente que as faz. Nós não pensamos: "Oh, há uma pedra, desta forma tenho que saltar". Apenas pulamos a pedra. Este instinto de autodefesa advém da consciência armazém.

Tive um sonho uma vez que ilustra este ponto. Na Ásia, antigamente, tínhamos que preparar nosso próprio arroz da colheita. Tínhamos que remover a palha do grão de arroz antes de cozinhar e comer. No templo, possuíamos um instrumento que removia a palha. O ato de remover a palha tinha um tipo de som muito particular e ritmado. Um dia, estava tirando uma soneca, lá pela uma e meia da tarde, porque na Ásia, nesta hora, é muito quente e as pessoas tendem a tirar uma soneca de meia hora antes de retomar as atividades na parte da tarde. Durante o tempo em que eu estava dormindo, ouvi o som da remoção de palha. Mas, na verdade, era um dos meus estudantes raspando um bloco de tinta chinesa. Naquela época, para obter tinta para escrever com um pincel, você tinha que colocar um pouco de água num prato e raspar o bloco sólido de tinta na água. O som, de alguma maneira, encontrou um jeito de entrar através da minha consciência do ouvido até minha consciência armazém e foi transmitido à minha consciência da mente. Este é o motivo para, no meu sonho, ter visto alguém removendo palha. Mas, na verdade, ele não estava removendo palha, estava apenas preparando um pouco de tinta. Assim, a impressão vem de dois caminhos: através do caminho da consciência da mente e através do caminho da consciência armazém. E tudo que vai através dos cinco sentidos pode ser armazenado, pode ser analisado, pode ser processado pela consciência armazém. As impressões não têm que ir sempre por meio da consciência da mente. Elas podem ir diretamente de uma das cinco consciências para a consciência armazém.

Num quarto frio, à noite, mesmo que não esteja sonhando e a consciência da mente não esteja funcionando, a sensação de frio, ainda assim, penetra pelo corpo, no nível da consciência dos sentidos. Isto faz uma vibração no nível da consciência armazém e seu corpo move o cobertor para cobrir você.

Esteja você dirigindo, operando uma máquina ou fazendo outras tarefas, nós permitimos que nossa consciência dos sentidos colabore com a nossa consciência armazém, o que nos possibilita realizar várias coisas sem a intervenção da consciência da mente. Quando trazemos a consciência da mente para este trabalho, então, repentinamente, podemos nos dar conta das formações mentais que estão sendo levantadas.

A palavra formação (*samskara* em sânscrito) significa algo que se manifesta quando muitas condições estão reunidas. Quando olhamos para uma flor, podemos reconhecer muitos elementos que foram reunidos para fazer com que ela se manifestasse desta forma. Sabemos que, sem a chuva, não haveria água, e a flor, então, não poderia se manifestar. E podemos ver que a luz do sol está também presente. A terra, o adubo, o jardineiro, tempo, espaço e muitos outros elementos se juntaram para ajudar esta flor a se manifestar. A flor não possui uma existência separada; é uma formação. O sol, a lua, a montanha e o rio, todos são formações. Ao usar a palavra formação nos lembramos de que não há existência central separada nas coisas. Há apenas um combinar de muitas, muitas condições para que alguma coisa se manifeste.

Como praticantes do budismo, podemos nos treinar para olhar para todas as coisas como formação. Nós sabemos que todas as formações estão em constante mudança todo tempo. A impermanência é uma das marcas da realidade, porque tudo muda.

Formações mentais

As formações que existem na consciência são chamadas de formações mentais. Quando há o contato entre um órgão dos sentidos (olhos, ouvidos, nariz, boca, corpo/pele) e um objeto, a consciência dos sentidos aparece. E, no momento em que os olhos fitam um objeto, ou que você sente o vento na pele, a primeira formação mental se manifesta. O contato causa vibração no nível da consciência armazém.

Se a impressão é fraca, então a vibração para e o fluxo da consciência armazém retoma sua tranquilidade; você continua a dormir ou continua com suas atividades, porque a impressão criada pelo toque

Como a mente funciona

não foi forte suficientemente para chamar a atenção da consciência da mente. É como quando um inseto voador pousa na superfície da água e faz com que esta ondule um pouco. Depois que o inseto voa, a superfície da água se torna completamente calma novamente. Então, apesar da formação mental se manifestar, apesar do fluxo do *continuum* da vida vibrar, não há surgimento de preocupação, porque a impressão é muito fraca.

Algumas vezes, na psicologia budista, fala-se de quarenta e nove ou cinquenta formações mentais. Na minha tradição, falamos em cinquenta e uma. As cinquenta e uma formações mentais também são chamadas de concomitantes, o que significa que elas constituem o próprio conteúdo da consciência, da mesma forma que as gotas de água são o conteúdo do rio. Por exemplo, a ira é uma formação mental. A consciência da mente pode funcionar de um jeito no qual a ira pode se manifestar na consciência da mente. Neste momento, a consciência da mente é preenchida de ira e nós podemos sentir que nossa consciência da mente não é nada além de ira. Mas, na verdade, tal consciência não é apenas ira, porque depois a compaixão surge e, nesse momento, a consciência da mente se torna compaixão. Essa consciência, em diversos momentos, são todas as cinquenta e uma formações mentais, sejam elas positivas ou negativas ou, ainda, neutras.

Sem as formações mentais não pode existir consciência. É como se estivéssemos conversando sobre uma formação de pássaros. A formação mantém os pássaros unidos e, assim, eles voam belamente no céu. Você não precisa de alguém segurando os pássaros para que eles voem numa formação. Você não precisa de um eu para criar uma formação. Os pássaros simplesmente compõem a formação. Numa colmeia, você não precisa de alguém dando ordens para esta abelha ir para a esquerda ou para aquela ir para a direita, elas simplesmente se comunicam entre si e formam uma colmeia. Dentre todas estas

Corpo e mente em harmonia

abelhas, cada uma deve ter uma responsabilidade diferente, mas nenhuma abelha alega ser a chefe de todas as outras, nem mesmo a abelha-rainha. A rainha não é a chefe. Sua função simplesmente é a de botar ovos. Se você tem uma boa comunidade, uma boa *Sangha*, é como esta colmeia, em que todas as partes perfazem o todo, sem nenhum líder, nenhum chefe.

Quando dizemos que está chovendo, queremos dizer que a chuva está acontecendo. Você não precisa de alguém acima para fazer a chuva acontecer. Não quer dizer que há chuva e que há alguém que faz com que a chuva caia. Na verdade, quando você diz que a chuva está caindo, é muito engraçado, porque se estivesse caindo não seria chuva. No inglês, usa-se um sujeito e um verbo, por isso é necessário o pronome *it* nesta língua, na expressão *it rains*, que significa "chove" em português. *It* é o sujeito, aquele que torna a chuva viável. Mas, olhando mais profundamente, não precisamos de um "fazedor de chuva", apenas precisamos da chuva. Chover e chuva são o mesmo. A formação de pássaros e os pássaros são o mesmo – não há um eu, não há um comandante envolvido no processo.

Há uma formação mental chamada *vitarka*, "pensamento inicial". Quando usamos o verbo pensar em inglês, necessitamos de um sujeito para o verbo: eu penso ou você pensa ou, ainda, ele pensa... Mas, na verdade, você não precisa de um sujeito para um pensamento ser produzido. Pensamento sem pensador – isto é absolutamente possível. Pensar é pensar sobre algo. Perceber é perceber alguma coisa. Aquele que percebe e o objeto que é percebido são um.

Quando Descartes disse: "Penso, logo existo", o que ele quis dizer era que, se eu penso, deve haver um eu para o pensar ser possível. Quando ele declarou: "Penso", ele pensava que podia demonstrar que o eu existe. Nós possuímos o forte hábito de acreditar em um eu. Contudo, observando bem profundamente, podemos ver que um pensamento não

Como a mente funciona

necessita de um pensador para se tornar possível. Não há pensador por trás do pensamento – há apenas o pensamento, e isto é o suficiente.

Agora, se o Senhor Descartes estivesse aqui, poderíamos fazer a seguinte pergunta: "Senhor Descartes, você diz 'Penso, logo existo'. Mas o que você é? Você é seu pensamento. Pensamento – isto é suficiente. O pensamento se manifesta sem a necessidade de um eu por trás".

Pensar sem um pensador. Sentir sem um alguém que sinta. O que é a nossa ira sem nosso eu? Este é o objeto de nossa meditação. Todas as cinquenta e uma formações mentais tomam lugar e se manifestam sem um eu por trás delas que as organize para que isto ou aquilo apareça. A nossa consciência da mente possui o hábito de se basear na ideia de eu, em mana. Contudo, podemos meditar para nos tornarmos mais atentos à nossa consciência armazém, que é onde mantemos as sementes de todas aquelas formações mentais que não estão se manifestando em nossas mentes no momento.

Quando meditamos, nós praticamos olhar mais profundamente para que, com isto, consigamos trazer luz e clareza à maneira como vemos as coisas. Quando a visão de um não eu é alcançada, nossa ilusão é eliminada. Isto é o que chamamos de transformação. Na tradição budista, a transformação é possível por meio de compreensão profunda. O momento em que a visão de um não eu surge, a consciência chamada mana, a noção ilusória de um "eu sou", desintegra-se, e, então, nós nos encontramos gozando de liberdade e felicidade neste exato momento.

3

Encontrando sua mente

Quando estamos estressados com algo, ou muito ocupados, frequentemente dizemos que estamos perdendo a cabeça. Mas onde estava a nossa cabeça (mente) antes dela ser perdida e para onde ela foi depois? No Sutra Surangama, um texto budista popular na China e no Vietnã, o Buda e seu discípulo Ananda discutem sobre onde a mente se localiza. Ela está *dentro* do corpo, *fora* do corpo ou *entre* o corpo e o mundo (fora)? Em última instância, o Sutra nos ensina que a mente é uma não localidade. Em outras palavras, você não pode falar que ela está dentro do corpo, fora ou entre o dentro e o fora. Ela não possui uma localização.

Não é somente a mente que é não local, tudo é da mesma forma. Nesta manhã, peguei uma folha verde macia do solo. Esta folha está em minha mente ou fora dela? Que pergunta! É uma pergunta muito simples, mas cuja resposta é muito difícil. A noção de dentro e fora não pode ser aplicada à realidade.

Tendemos a pensar na mente como "aqui dentro" e no mundo como "lá fora", a mente como algo subjetivo e o mundo, o corpo, como objetivo. O Buda ensinou que a mente e o objeto da mente não existem separadamente, eles "entre-são". Sem um, o outro não pode existir. Não há um alguém que perceba sem que exista uma percepção. Objetivo e subjetivo se manifestam conjuntamente. Usualmente, quando pensamos na mente, pensamos apenas na consciência da mente. Mas a mente não é apenas a consciência da mente, ela também é consciência mana, é também a consciência armazém.

Corpo e mente em harmonia

Podemos nos treinar para ver nosso corpo como um rio e nossa mente como uma parte do mesmo rio, sempre fluindo, sempre mudando. De acordo com a psicologia budista, o maior obstáculo à habilidade de ver com clareza a realidade é nossa tendência de nos confundir com a noção de que sujeito é algo distinto de objeto e que o objeto é algo independente do sujeito. Esta forma de ver as coisas se tornou um hábito, um padrão que influencia nosso pensamento e nosso comportamento.

Quando eu era um jovem iniciante, aprendi que a consciência possui três partes. A primeira e a segunda partes são: *darshana* (aquele que percebe) e *nimita* (o que é percebido) – ou seja, sujeito e objeto. Sujeito e objeto se apoiam um no outro para se manifestar. Há um grande erro em acreditar que o sujeito pode existir sem o objeto. Temos a tendência de acreditar que o sujeito do conhecimento, nossa mente, pode existir separada e independentemente do objeto do conhecimento ou do objeto da experiência. E acreditamos que o objeto do conhecimento, o que está lá fora, é algo que existe separadamente do sujeito do conhecimento.

No budismo, existe a expressão *namarupa. Namarupa* é equivalente à palavra psicossoma. A realidade se manifesta num aspecto duplo, psíquico e somático, mental e biológico. E um não pode existir sem o outro. Cérebro e mente são dois aspectos de manifestação de uma mesma coisa. Então, devemos nos treinar para olhar para o cérebro como consciência e não ver a consciência como uma coisa totalmente separada e diferente do cérebro.

Quando você invoca a chama para se manifestar, você pode pensar que ela é algo totalmente diferente do fósforo. Mas você sabe que a chama é imanente, está escondida no combustível da cabeça do fósforo, no oxigênio do ar, não tem localidade real. Quando as condições se juntam, a chama se manifesta. A natureza da consciência também

Encontrando sua mente

é não local. Sabemos que a consciência sempre está consciente de algo. Objeto e sujeito sempre estão juntos. Olhando para uma parte, você sempre vê a outra. Olhando para a outra parte, você sempre vê a primeira. Esta é a natureza do entre-ser. Um está dentro do outro.

Dupla manifestação

A manifestação sempre é dupla: sujeito e objeto – o sujeito, o conhecedor; e o objeto, o conhecido. Então, *vijñapti*, manifestação, é uma dupla manifestação. Toda manifestação é reconhecida como possuindo sujeito e objeto. No chinês, há duas partes para o caractere consciência, uma que significa sujeito do conhecimento e outra indicando objeto do conhecimento. Mas, olhando mais profundamente, vemos uma terceira parte que serve de base para as outras duas. Procure por uma moeda. Você vê cara e coroa. A cara é uma parte, a coroa é uma parte e elas não podem existir separadamente. O reconhecimento de que há duas faces numa moeda é evidente. Mas se você olhar mais profundamente, verá que há uma substância em comum que faz com que a manifestação das duas faces se torne possível, é o metal, ou seja, a substância, ou *svabhava*, em sânscrito. Cada semente na nossa consciência: a semente da felicidade, da mágoa, do medo, da ira, da plena atenção e a da concentração – cada uma possui dentro de si estas três partes que sempre andam juntas.

Quando olho para uma montanha, posso pensar que é um objeto que pode existir separadamente da consciência, o que é um erro básico. Quando você olha para uma nuvem como uma coisa objetiva, como realidade lá fora, como algo que não tem nada a ver com a sua consciência, é um erro básico. A nuvem e a montanha são simplesmente os objetos da consciência de seus olhos. E a sua consciência, que inclui tanto sujeito quanto objeto, baseia-se num fundamento para que a manifestação se torne possível. Esta é a terceira parte, a substância.

A onda e a água

Um exemplo que usamos frequentemente no budismo é o da onda e da água. A onda nasce do oceano e, quando você observa o fenômeno da onda, você vê a existência de um começo e de um fim. Você vê a subida e a descida, você vê a presença e a não presença da onda. Antes de surgir, parece que a onda não existia e, depois de descer, também não vemos sua existência. Distinguimos entre uma e outra onda. Uma onda pode ser mais bonita, maior ou menor que outra onda. Então, em se tratando do mundo dos fenômenos, temos todo tipo de conceitos: começo e fim; alto e baixo; mais bonito e menos bonito – e isto cria muito sofrimento. Mas, ao mesmo tempo, sabemos que a onda é água também. Uma onda pode viver sua vida tanto como onda quanto como água, ao mesmo tempo. Como uma onda, pertence ao mundo dos fenômenos: ela tem um começo, um fim, um aumentar, um diminuir. Ela se diferencia das outras ondas. Mas se ela tem tempo para se sentar e tocar em sua natureza profunda, ela perceberá que é água. Ela não é apenas onda, é também água. No momento em que percebe que é água, ela deixa de sofrer. Não tem mais medo de subir e de descer. Não se preocupa em estar lá ou não estar mais. A água representa o mundo numênico, o mundo do não nascimento e da não morte, não vinda e não ida.

Se você continuar se aprofundando, verá que o que fazemos juntos, o que falamos juntos, o que pensamos juntos terá um efeito sobre nós e sobre o mundo, agora e depois. No ensinamento budista, nada é estritamente individual e nada é estritamente coletivo. Estas noções são relativas.

Você pode pensar que seu corpo é uma possessão individual, mas seu corpo pertence igualmente ao mundo. Imagine que você é um motorista e sua segurança depende de seus nervos ópticos. Você pensa

Encontrando sua mente

neles como algo estritamente individual; eles pertencem a você e você é aquele que se beneficia e é responsável por eles. Mas se você for um motorista de ônibus, todos nós que sentamos no ônibus confiamos muito em seus nervos ópticos. Nossas vidas dependem de você. Este é o motivo para a expressão "É minha própria vida!" ser ingênua. Nós estamos em você e você está em nós. Nós entre-somos.

Quando olhamos para uma flor, nós a identificamos como uma rosa branca, por exemplo, e ficamos muito seguros de que se trata de uma realidade objetiva que existe separadamente de nossa consciência – quer estejamos pensando na flor ou não, ela está lá. Ela pertence à realidade objetiva exterior. Esta é a forma que tendemos a pensar. Contudo, nós aprendemos, com a ciência, que as cores que percebemos se tratam de vibrações particulares de ondas de luz. Caso a profundidade da onda seja muito curta ou muito longa, nós não percebemos a onda. Quando as frequências são apropriadas aos nossos órgãos dos sentidos, acreditamos que estas coisas existem. Mas quando não percebemos a frequência, pensamos que elas não existem. Eu posso perguntar para outro ser humano: "Você vê a mesma coisa que eu vejo? Você ouve o que eu ouço?" E a pessoa falar: "Sim, eu vejo o que você vê, eu ouço o que você ouve". Aí, então, você tem a impressão, já que vocês dois concordam, que a coisa deve ser daquele jeito, que ela é algo objetivo e exterior. Mas nós nos esquecemos de que seres humanos são feitos de forma similar. Nossos órgãos dos sentidos são feitos de forma similar. Nós todos concordamos que isto é uma "mesa". Concordamos que é um suporte para apoiar e sobre o qual é possível escrever algo. Porque somos seres humanos, tendemos a olhar para esta mesa como um instrumento. Mas se tivéssemos nascido cupim, nós olharíamos para a mesa de uma forma diferente. Poderíamos ver a mesa como uma fonte de comida, suculenta, saborosa e nutritiva. Os cupins são feitos de forma tal que mesas se tornam comida, nós somos feitos de

Corpo e mente em harmonia

forma tal que mesa é um suporte para escrever e ler. É por esta razão que o que acreditamos que seja a realidade exterior ser, na verdade, somente uma construção mental. Porque nossos órgãos dos sentidos são feitos de forma tal que nós recebemos o chamado mundo objetivo de uma maneira específica, acreditamos que esta é a realidade objetiva. Sabemos que a rosa é uma construção mental coletiva de um grupo de seres vivos chamados humanos. Isto é participar do reino do ser. As abelhas possuem seu reino de ser, os pássaros possuem seu reino de ser, os humanos possuem seu reino de ser e este reino de ser é uma manifestação coletiva, uma concepção coletiva de seu carma, de sua consciência, de sua consciência armazém.

No ensinamento budista, considerando que a mente é não local, ela não pode morrer, pode apenas se transformar. Você continua no meio ambiente. A consciência armazém, seus pensamentos, sua fala e suas ações criam o produto do carma, que é composto de você mesmo e do seu ambiente. Você e seu ambiente são um e criam seu carma. Nós temos a possibilidade de nos assegurar um futuro bonito ao cuidarmos de nossos pensamentos, de nossa fala e de nossas ações. Você tem o poder de se transformar por dentro e você tem o poder de se transformar mudando o seu ambiente. Cuidar de si mesmo significa cuidar de seu corpo e de seu ambiente. Não é verdade que os genes determinam tudo. Através da produção de seus pensamentos, discursos e ações, você cria seu ambiente. Você sempre tem a oportunidade de se organizar e organizar seu ambiente para semear sementes positivas em você mesmo. Este é o segredo da felicidade.

É claro que o ambiente não é somente construído pelas coisas que vemos ao nosso redor. Há coisas que não vemos ou não ouvimos. E tendemos a descrever estas coisas como não existentes. Ao observarmos o espaço de uma sala de meditação, não vemos nada. Mas o espaço ao nosso redor está repleto de sinais de televisão, rádio, telefone celular, que não podemos ver ou ouvir. Precisamos do aparelho – o telefone ou a televisão – para traduzir os sinais para nós. Frequentemente, o que descrevemos como vazio está, na verdade, um tanto cheio. É nossa consciência da mente que traduz todas estas coisas e transforma em som e cores. Assim, não tenho certeza se a folha que peguei está no interior ou no exterior de minha mente. Temos que ser humildes e nos abrir para permitir que a verdade penetre. O segredo do budismo é eliminar todas as ideias, todos os conceitos, para que a verdade possa ter uma chance de nos penetrar e de se revelar.

Nossa mente confusa

O Buda contou uma história interessante sobre um mercador que vivia com seu filho pequeno. A mãe do filho pequeno não vivia mais. Assim, o garoto era muito precioso para o mercador. Ele tratava o garoto com muito carinho, sentindo que não poderia sobreviver sem ele – e nós compreendemos isto. Um dia, ele estava fora em uma viagem de trabalho. Bandidos vieram, queimaram a vila, sequestraram as crianças, sequestraram seu pequeno garoto. Então, quando o pai chegou à sua casa, ficou desesperado. Ele procurou seu filho, mas não conseguiu encontrar ninguém lá. Naquele estado de extrema preocupação e desespero, ele viu o corpo queimado e morto de uma criança. E assumiu que fosse seu menininho. Ele acreditou que seu filho estivesse morto. Em desespero, ele se jogou no chão, bateu no peito, puxou o cabelo e se recriminou por ter deixado seu garotinho sozinho. Depois de ter chorado por um dia e uma noite, ele se levantou, pegou o corpo morto da criança e organizou uma cerimônia de cremação. Mais tarde, ele pegou as cinzas e as colocou numa bolsa de veludo muito bonita e começou a carregar a bolsa sempre com ele, porque ele amava muito seu menininho. Quando você ama tanto algo ou alguém, você quer que este algo ou este alguém estejam sempre

Corpo e mente em harmonia

com você, vinte e quatro horas por dia; e nós compreendemos isto. Porque ele acreditava que seu menininho estava morto e que aquelas eram as cinzas dele, ele queria carregar aqueles restos de seu amado com ele. Estivesse dormindo, comendo ou trabalhando, sempre carregava aquela pequena bolsa com ele.

Uma noite, lá pelas duas da manhã, o garoto, que havia conseguido fugir, foi capaz de voltar para casa. Ele bateu à porta de seu pai. Você pode imaginar o pobre pai deitado na cama, sem conseguir dormir, ainda chorando com a bolsa de cinzas.

"Quem está batendo em minha porta?", ele perguntou.

"Sou eu papai, é seu filho."

O jovem pai pensou que alguém estava tentando enganá-lo, porque ele acreditava que seu garoto já estava morto. Ele disse: "Vá embora, garoto malvado. Não perturbe as pessoas a esta hora da noite. Vá para casa. Meu menino morreu". E o menino insistiu, mas ele se recusava a reconhecer que era seu próprio filho que estava batendo à porta. Finalmente, o menino teve que ir embora. E o pai perdeu o filho para sempre.

Claro que sabemos que o jovem pai não era sábio. Ele deveria ter sido capaz de reconhecer a voz de seu próprio menino. Mas porque ele estava tomado por uma crença e sua mente estava recoberta de pesar, desespero e convicção, ele não foi capaz de reconhecer que era seu próprio filho batendo à porta. Esta é a razão para ele ter se recusado a abrir a porta e ele perdeu seu pequeno menino para sempre.

Algumas vezes assumimos que algo é verdade, uma verdade absoluta. Nós nos apegamos a ela, não podemos mais soltá-la. Mas esta é a razão para empacarmos. Mesmo quando a verdade vem em pessoa batendo em nossa porta, recusamo-nos a abrir. Nosso apego aos nossos pontos de vista é um dos maiores obstáculos à nossa felicidade.

Encontrando sua mente

Imagine que você está subindo uma escada. Se você vai ao quarto degrau e acredita que ele é o mais alto, não há chance para subir ao quinto, que é realmente o mais alto. A única forma de subir mais alto é abandonar o quarto degrau.

Um dia, o Buda saiu da floresta e voltou para casa com a mão cheia de folhas. Ele olhou para os monges e sorriu, dizendo: "Queridos amigos, vocês acham que há em minhas mãos tantas folhas quanto há na floresta?" E, é claro, os monges disseram: "Querido professor, você segura apenas dez ou doze folhas e, na floresta, há milhões e milhões delas". E o Buda falou: "Isto é verdade, meus amigos, tenho muitas ideias, mas não as comunico para vocês, porque o que vocês precisam é trabalhar na transformação e na cura de vocês próprios. Se eu der a vocês muitas ideias, vocês ficarão presos a elas e aí não terão a oportunidade de ter *insights* próprios".

As três naturezas da atenção

Então, como podemos perceber o mundo sem ideias pré-concebidas? Como olhamos para o mundo com consciência verdadeira? Há três naturezas que descrevem como percebemos o mundo conforme os graus de atenção, *parikalpita*, *paratantra* e *parinishpana*. A primeira natureza é *parikalpita*, nossa construção mental coletiva. Nossa tendência é acreditar num mundo sólido e objetivo. Vemos as coisas como existindo no exterior de cada um de nós. Você é exterior a mim e eu sou exterior a você. A luz do sol é exterior à folha e a folha não é a nuvem. As coisas estão no exterior de umas das outras. Esta é a forma como a maior parte de nós vê as coisas. Mas o que tocamos, vemos ou ouvimos é apenas uma construção mental coletiva. O que a maior parte de nós considera a natureza do mundo é somente a natureza *parikalpita*. Uma pessoa próxima de você diz que vê e ouve as mesmas coisas que você. Isto não acontece porque esta é a única

Corpo e mente em harmonia

forma, a forma objetiva, de ver o mundo, mas porque a pessoa próxima é feita de maneira muito similar a você e, desta forma, percebe muitas das mesmas coisas que você.

Sabemos que não vemos apenas com nossos olhos. Nossos olhos apenas recebem a imagem que será traduzida numa linguagem de sinais elétricos. O som que ouvimos é recebido e transformado em sinais elétricos também. Som, imagem, toque, cheiro são traduzidos em sinais elétricos que podem ser recebidos e processados pela mente.

No Sutra do Diamante, o Buda falou: "Todos os darmas (coisas) condicionados são como sonho, como coisas mágicas, bolhas de água, meras imagens, uma gota de orvalho, uma chama ardendo..." O que concebemos como sendo personalidades, pessoas, o que concebemos como sendo entidades, darmas, são apenas construções mentais, evoluindo de diversas formas, mas todos são manifestações que advêm da consciência. Ao sabermos que o mundo que vivemos está em *parikalpita*, olhamos mais profundamente dentro do mundo da construção mental e tocamos o segundo grau de atenção, *paratantra*.

Paratantra significa "contar um com o outro, depender um do outro para se manifestar". Você não pode *ser* você mesmo isoladamente, você tem que entre-ser com outro alguém. Ao olhar para uma folha, você pode ver a nuvem e a luz do sol; ela contém tudo. Se excluirmos estes elementos da folha, não sobra folha alguma para vermos.

Uma flor nunca pode existir isoladamente. Uma flor conta com muitos elementos não flores para poder se manifestar. Se nós olharmos para a flor e a vermos como uma entidade separada, ainda estamos no reino do *parikalpita*. Quando olhamos para uma pessoa, como nosso pai, mãe, irmã ou parceiro, se as enxergarmos como eu separado, *atman*, então ainda estaremos no mundo do *parikalpita*.

Para descobrir a natureza vazia das pessoas e coisas, precisamos da energia da plena atenção e da concentração. Você vive a vida com

Encontrando sua mente

atenção. Olhe, profundamente, para dentro de qualquer coisa com a qual você entrar em contato e você não será mais enganado pela aparência. Olhando dentro do filho, você vê o pai, a mãe, os antepassados e, ainda, vê que o filho não é uma entidade separada. Você se vê como um *continuum* – ou seja, você vê qualquer coisa sob a luz da interdependência e do entre-ser. Tudo se baseia em todo o resto para se manifestar. Ao seguir com a prática, as noções de "um" e "muitos" irão desaparecer.

O cientista nuclear David Bohm disse que um elétron não é uma entidade em si, mas é feito de todos os outros elétrons. Esta é uma manifestação da natureza de *paratantra*, a natureza do entre-ser. Não há entidades separadas, há apenas manifestações que contam umas com as outras para se tornarem possíveis. É como esquerda e direita. Não há direita, como uma entidade separada, existindo por si só. Sem a esquerda, a direita não pode existir. Tudo é assim.

Um dia, o Buda disse para seu amado discípulo, Ananda, "Quem enxerga o entre-ser, enxerga o Buda". Se tocamos a natureza da interdependência, tocamos o Buda. Este é um processo que requer prática. Durante o dia, enquanto você caminha, senta, come ou limpa as coisas, você pode treinar para ver as coisas como elas são. Finalmente, quando o treinamento estiver completo, a natureza *parinishpa*, ou seja, a realidade, irá se revelar inteiramente, e o que você tocar não será mais um mundo de ilusões, mas o mundo das coisas em si.

Primeiro, tornamo-nos cientes de que o mundo em que vivemos está sendo construído por nós, pela nossa mente, coletivamente. Em segundo lugar, ficamos cientes de que, se olharmos mais profundamente, se nós soubermos como usar a plena atenção e a concentração, nós poderemos começar a tocar a natureza do entre-ser. E, finalmente, quando a prática da atenção tiver se aprofundado, a natureza verdadeira da realidade absoluta, despida de noções, con-

Corpo e mente em harmonia

ceitos e ideias, o que inclui ideias sobre o "entre-ser" e sobre o "não eu", pode ser revelada.

Praticantes espirituais não usam instrumentos sofisticados de pesquisa. Eles usam sua sabedoria interior, sua iluminação. Ao nos livrarmos do apego, das noções e conceitos, ao nos livrarmos do medo e da ira, aí temos um instrumento brilhante com o qual podemos vivenciar a realidade como ela é, ou seja, a realidade livre de todas as noções, de nascimento e morte, de ser e não ser, de chegada e partida, de igual ou diferente. As práticas da plena atenção, da concentração e do *insight* podem purificar nossa mente e tornar a mente um poderoso instrumento com o qual podemos olhar mais profundamente para a natureza da realidade.

No budismo, falamos em pares de opostos, como nascimento e morte, chegada e partida, ser e não ser, identidade e alteridade. Imagine que haja uma vela acesa e você, então, apaga a chama. Aí, você acende a vela novamente e pergunta para a chama: "Minha cara chama, você é a mesma chama que se manifestou antes ou você é uma chama totalmente diferente?" E ela irá dizer: "Não sou a mesma chama nem outra". Nos ensinamentos do Buda, isto é chamado de *madhyamaka*, o passo intermediário ou a metade do caminho. O passo intermediário é extremamente importante porque ele elimina os extremos, como ser e não ser, nascimento e morte, chegada e partida, igual ou diferente. Os descobrimentos da ciência já justificam este tipo de visão.

Quando você abre o álbum de família e vê uma fotografia da criança de cinco anos que você foi, você vê que é um tanto diferente daquele garoto ou garota do álbum. Se a chama perguntasse para você: "Caro amigo, você é o mesmo garoto do álbum?", você iria responder da mesma forma que a chama respondeu: "Cara chama, não sou o mesmo garotinho, mas não sou uma pessoa totalmente diferente também".

Encontrando sua mente

Usando a mente para observar a mente

Ter uma visão da realidade é uma coisa, mas colocá-la em prática é diferente. Albert Einstein escreveu: "Um humano é parte deste todo chamado por nós de 'universo', uma parte limitada no tempo e no espaço. Ele vivencia a si, ele vivencia os pensamentos e sentimentos como algo totalmente separado do resto, é uma espécie de ilusão ótica da consciência. Esta ilusão é uma forma de prisão para nós, restringe-nos a nosso desejo pessoal e ao desejo de poucas pessoas perto de nós. Nossa tarefa deve ser a de forçar a nos livrarmos desta prisão pela expansão de nosso círculo de compaixão, para abraçarmos todas as criaturas e a totalidade da natureza em sua beleza".

A mente não é somente cérebro. Quando há uma porta para entrar em sua casa, você precisa de uma chave para abrir a porta. A chave e a porta são cruciais para que você tenha acesso a sua casa. A manifestação da consciência da mente precisa do cérebro, mas isto não significa que o cérebro dá à luz a consciência da mente, assim como a porta não dá à luz a casa. O cérebro não é o único fundamento para a manifestação da consciência.

Em um retiro, nós buscamos criar um ambiente para que as pessoas possam praticar meditação: ao caminhar, ao sentar, respirar. Fazer estas práticas possibilita o acesso, para os praticantes, a outras dimensões da mente. Se, quando estamos muito ocupados, podemos falar em perder a cabeça (mente), então, sob o estado de plena atenção, podemos encontrar nossa mente novamente.

Muitas pessoas conhecem a história do Sexto Patriarca do zen-budismo na China, Hui Neng. Ele morou no Mosteiro Tung Chian, do Quinto Patriarca Hung Jen. Um dia, o Quinto Patriarca pediu aos monges que expressassem o _insight_ deles em um poema. Seu discípulo sênior, Shen Hsiu, havia vindo do norte da China e era muito estudado.

Corpo e mente em harmonia

Ele ofereceu o seguinte *gatha*:

> O corpo é a árvore *bodhi*.
> A mente é um grande espelho brilhante.
> Todo dia você tem que limpá-lo
> para que a poeira não cubra o espelho.

Este poema é muito bom para a prática. Nossa mente tende a se nublar com desejo ardente, ira, medos e preocupações. Nossa mente e a de nossos amigos cientistas são da mesma natureza. Os praticantes sabem como cuidar da mente, não permitindo que ela se cubra com camadas de poeira.

Hui Neng era de uma família de camponeses do sul da China. Ele tinha ido ao norte para estudar com o Quinto Patriarca. Como ele era iletrado, teve que pedir para um de seus irmãos Darma para escrever o *insight gatha* por ele. O poema lido foi:

> Não existe algo como a árvore *bodhi*.
> Não existe algo como o grande espelho brilhante.
> Desde o início tudo é vazio.
> Onde pode o pó se apegar?

Quando você observa a mente, você usa a mente. E que tipo de mente você está usando para observar? Se a sua é tomada por ira, confusão, discriminação, então, não está clara suficientemente para fazer o trabalho de observação, mesmo se você tiver instrumentos científicos caros. A proposta da prática de meditação é para nos ajudar a ter uma mente clara para observar e para nos ajudar a desamarrar os nós internos. Todos nós temos noções e ideias e, quando estamos presos a elas, não somos livres, aí, então, não temos a menor oportunidade de tocar a verdade da vida. O primeiro obstáculo são nossos conceitos, nosso conhecimento, nossas ideias sobre a verdade. O segundo obstáculo é *klesha*, nossas aflições, como medo, ira, discriminação, desespero e arrogância. Andar, sentar, respirar e ouvir o Darma falar são caminhos que ajudam a afinar o instrumento de nossa mente, para que ele consiga se observar mais claramente.

Encontrando sua mente

Quando você ouve uma fala ou lê um livro sobre Darma, não é para aprender noções e ideias. Na verdade, é nos libertarmos de nossas noções e ideias. Você não substitui suas antigas noções e ideias pelas novas. A fala e os escritos devem ser como a chuva que pode tocar a semente da sabedoria e da liberdade dentro de você. Este é o motivo para termos que aprender a ouvir. Não ouvimos ou lemos para receber mais noções e conceitos, mas para ficarmos livres deles. Não é importante que você não se lembre do que foi dito, mas que você se liberte.

Estamos acostumados a trabalhar duro na escola para nos lembrarmos das coisas. Trabalhamos com afinco para adquirir muitas palavras, noções, conceitos, pois pensamos que esta bagagem será útil em nossas vidas. Mas, sob a luz da prática, é um peso. Então, você fica livre do peso do conhecimento, das noções e dos conceitos. Você fica livre do peso das aflições, da ira e do desespero. Por esta razão, falar, sentar, sorrir e parar são ações muito importantes. Próximo ao final de sua vida, o Buda falou: "Em meus quarenta e cinco anos de ensinamentos, eu não disse nada".

Quando tomamos nosso café da manhã, comer o café da manhã se torna uma prática. Olhando para uma fatia de pão, mesmo por um segundo ou por meio segundo, você pode ver a luz do sol, você pode ver a nuvem em um pedaço de pão. Não há pão sem luz do sol, sem chuva, sem a terra. No pedaço de pão você vê tudo do cosmo vindo para você, para nutrir você. Isto é atenção profunda, profunda plena atenção. Você pode apreciar intensamente o pedaço de pão; não leva muito tempo. Poucos milissegundos são suficientes para perceber que o pedaço de pão é um embaixador de todo o cosmo. Quando você coloca o pedaço de pão na boca, você coloca apenas o pedaço de pão, não seus projetos, sua ira – não é saudável mastigar sua ira e seus projetos – apenas mastigue o pedaço de pão e aprecie mastigar seu pão. Somente

Corpo e mente em harmonia

a plena atenção nos permite viver desta forma, profundamente, tocando as maravilhas da vida, de tal maneira que cada momento pode ser um momento de cura, de transformação e de nutrição.

Apenas aprecie o sentar!

Podemos reaprender a sentar, com a ajuda da consciência da mente. Nelson Mandela, quando visitou a França, foi perguntado pela imprensa: "O que você mais gostaria de fazer?" E ele respondeu: "Apenas sentar e não fazer nada. Desde o dia que fui solto da prisão, estive tão ocupado – sem tempo para sentar e apreciar o estar sentado".

Sentar e não fazer nada não parece muito fácil, porque *vasana*, a energia do hábito, neste caso, a energia do hábito de correr, tornou-se muito forte – sentimos que sempre temos que fazer algo e isto se tornou um hábito. Esta é a razão para que, com a intervenção da consciência da mente, com o *insight* de que podemos parar e começar a viver nossa vida verdadeiramente, há a possibilidade de podermos apreciar sentar e fazer nada. Apenas apreciar ficar sentado! Deixe seu corpo ser pacífico, ser sólido, ser livre.

Sentar em paz é uma arte. Quando você está sentado em paz, é como se você estivesse sentado numa flor de lótus. Quando você não está sentado em paz, é como estar sentado em brasa incandescente. Então, aprenda a sentar como um buda. Alguns já conseguem sentar desta forma. Apenas aprecie o sentar e fazer nada. É preciso um pouco de treinamento. E nos deixe aprender a caminhar – caminhar de maneira a apreciar cada passo, para que nossos projetos e nossos medos não continuem a ser um obstáculo.

Quando tomamos nosso café da manhã, é uma ocasião para sentar, comer e apreciar cada bocado do café da manhã. Quando lavamos nossos pratos, também podemos ser livres, livres de nossos projetos

Encontrando sua mente

e nossas preocupações, apenas apreciando o ato de lavar os pratos. Quando você escovar seus dentes, aprecie o escovar os dentes. Quando você se vestir, aprecie isto. Você sempre está com você mesmo, você pode apreciar cada momento de seu dia a dia.

4
O rio de consciência

O filósofo David Hume disse: "Consciência é um feixe de luz ou uma coleção de diferentes percepções que se sucedem umas às outras em uma velocidade inconcebível"[3]. As formações mentais se manifestam e se sucedem umas às outras, como um rio. Quando você olha para o rio, você pensa que ele é uma entidade que permanece igual. Mas isto é uma construção mental. Ao sentarmos na margem do rio, vemos que o rio que estamos observando não é o mesmo rio em que estávamos nadando agora mesmo. Heráclito disse que você nunca pode entrar num mesmo rio duas vezes.

No livro *A evolução criadora*, de 1908, Henri Bergson usou a expressão "mecanismo cinematográfico da mente" (*méchanisme cinématographique de la pensée*). Quando você vê um filme, você tem a impressão de que uma história real está acontecendo. Mas se você segurar a fita do filme e a examinar bem, verá que há apenas imagens individuais que se sucedem umas às outras, passando a impressão de que há uma entidade, um *continuum*.

As formações mentais se manifestam muito rapidamente, sucedem umas às outras e transmitem a impressão de que a consciência é algo durável. Mas se formos atenciosos e se olharmos para uma fita de filme, veremos o ciclo de vida de uma formação mental e a natureza das sementes que a geram.

---

[3] *A Treatise of Human Nature*. Nova York: Oxford University Press, 2000.

Corpo e mente em harmonia

Nós dizemos que as sementes possuem três características naturais, além de quatro condições para se manifestarem. Cada semente possui suas próprias características, que se mantêm, ainda que a semente esteja sempre se alterando. Um grão de milho, apesar de sempre estar mudando, permanece um grão de milho. Uma vez plantado, nascerá uma planta de milho, não de feijão. Nós podemos tanto influenciar quanto modificar e transformar uma semente; ela pode adquirir uma qualidade melhor, mas permanece com a mesma natureza.

A primeira natureza da semente é aquela que morre a cada momento para renascer e morrer novamente. Sabemos que as células do nosso corpo nascem e morrem também. A chama na ponta da vela também possui uma natureza cinematográfica. Morre em cada fração de segundo para dar crescimento à próxima chama. Não somente nossa consciência, mas também o objeto de nossa consciência possui natureza cinematográfica. Todas as coisas, sejam mentais ou físicas, são sempre mutantes. O Buda falou: "Todas as formações são impermanentes, morrem a cada *kshana*".

A segunda característica da natureza de uma semente é que sua manifestação, a fruta, já está contida na semente. Imagine que você tenha um DVD. Você sabe que ele contém cores, imagens e sons; você não as vê e não as ouve, mas você não pode dizer que imagem e som não estão lá. Você precisa de poucas condições para ajudar a imagem e o som a se manifestarem. Assim, a semente e a fruta não são duas coisas diferentes. Não é preciso tempo para que a semente se torne fruta, porque a fruta já está contida lá na semente. Quando você aperta o botão para assistir o DVD, o som, as cores e as formas logo se manifestam. Não temos que esperar até que a semente cresça e se torne uma planta para que esta tenha flores e frutos. Não precisamos de tempo; a fruta já está lá, neste momento, na semente.

O rio de consciência

A terceira característica da semente é que ela aguarda por diferentes condições para que possa se manifestar. As sementes já estão lá em nossa consciência armazém, assim como os sinais e as informações que já estão no DVD. Eles apenas estão esperando por certas condições para que possam se transformar e se manifestar como som, cor e forma.

Há quatro condições necessárias para que a manifestação aconteça. A primeira condição é a condição da semente, *hetu*. Sem as sementes, nada é possível. Sem informação no disco, você não pode fazer nada. Sem um grão de milho, nenhuma planta pode germinar. Se não houvesse sementes na consciência armazém, ela não poderia ser chamada de armazém e as outras sete consciências que nascem dela não poderiam se manifestar. A semente é a condição básica. Com uma semente de milho, temos a possibilidade de cultivar um pé de milho e ter milho para comer por alguns anos. A forma chinesa de escrever semente é muito interessante. A palavra é formada de dois caracteres. Um caractere significa "limite", e dentro dele há o outro caractere que significa "grande" – dentro do limite há algo que possui o potencial de se tornar muito grande. O grande já existe no pequeno. Se você permitir que as outras condições entrem em cena, o que é pequeno irá se tornar grande.

A segunda condição é o suporte para a semente. Você possui a semente de milho, mas você precisa de água, de luz do sol e de um fazendeiro para ajudar a semente de milho a brotar e se tornar uma planta de milho. Você possui a semente do budismo dentro de você. É pequena, mas se você der uma chance, ela irá florescer. Você precisa das condições – você precisa de *Sangha*, você precisa de irmãs e irmãos Darma, de professores Darma, de um centro para praticar. Você precisa do tipo de ambiente propício para a semente do budismo se manifestar em seu máximo. Estas são as condições de suporte.

Corpo e mente em harmonia

As condições de suporte são de dois tipos: na mesma direção e em direção oposta. Se tudo é tranquilo, isento de dificuldade, está na mesma direção. Mas algumas vezes as condições são de uma natureza tal, que tornam a situação mais difícil. Algumas vezes, você encontra obstáculos no seu caminho. Talvez você tenha uma doença ou um companheiro de trabalho com quem é muito difícil de lidar. Mas, graças às dificuldades, você pode se transformar e se tornar muito mais forte. Então, isto é uma condição suporte da mesma maneira, ainda que num primeiro momento pareça um obstáculo.

Há pinheiros que crescem num solo muito pobre nas encostas das montanhas. Há pouca nutrição lá para uma semente germinar e crescer. Mas, por causa destas dificuldades, o pinheiro tem a possibilidade de se aprofundar no solo e se tornar muito forte, de tal forma que o vento não consegue derrubá-lo. Se o pinheiro encontrar somente condições fáceis pelo seu caminho, quando o vento forte vier, ele pode sair voando. Algumas vezes, obstáculos e dificuldades ajudam você a ser bem-sucedido.

Se você tem um colega de trabalho que é difícil, você pode enxergá-lo como uma condição suporte, mesmo que ele pareça um obstáculo. Ele está ensinando para você algo sobre sua própria força. Um praticante deve ser forte para aceitar ambos os tipos de causas-suporte: mesma direção e direção oposta.

A terceira condição necessária para a semente se manifestar é chamada objeto como condição, *alambana pratiyaya*. Para o conhecimento acontecer, sempre é preciso haver um sujeito e um objeto que se manifestem juntos. Não pode existir sujeito sem objeto. Sabemos que a consciência está sempre consciente de algo. Quando você fica bravo, você fica bravo com alguém ou com algo. Quando você come, você come alguma coisa. Então, o objeto é a condição para a manifestação. O conhecimento sempre inclui o conhecedor e o

O rio de consciência

objeto do conhecimento. A percepção inclui aquele que percebe e o que é percebido. Um lápis sobre uma mesa tem um lado direito e um lado esquerdo. O direito não pode existir por si só; só pode estar lá se houver o esquerdo.

O mesmo é verdadeiro para a consciência. Tendemos a acreditar que a consciência simplesmente está lá, pronta para reconhecer qualquer objeto. Mas a percepção em si é uma formação mental. A imaginação é uma formação mental. A ira é uma formação mental. Toda vez que uma formação mental se manifesta, sujeito e objeto nascem juntos.

A quarta e última condição é a constância, a não interrupção. A palavra para concentração, *samadhi*, significa manter constância, sem altos ou baixos. Seu objeto de concentração pode ser uma nuvem, uma flor ou a ira. No estado de concentração você mantém seu foco constante e uniforme. Mas se ele morrer e, um pouco depois, voltar a nascer, então não é concentração. É preciso que seja contínuo e constante.

Suponha que você está projetando um filme e de repente ele para. O som e a progressão das imagens também param. Se há uma interrupção no processo de consciência, a concentração não poderá continuar. Deve haver uma continuidade constante para que o processo seja possível. Imagine agora que você planta uma semente de milho e, alguns dias depois, você cava para ver o quanto ela se enraizou. Você interrompe o processo de crescimento. Para que a pequena planta de milho cresça, você deve permitir a continuidade do processo de crescimento dia e noite, ininterruptamente. Se você assoprar a chama na ponta da vela, ela não continuará. Transformação e cura são assim. Se seu médico receita um antibiótico e pede que você tome por certo número de dias sucessivos, mas você só toma por uns poucos dias e para, mesmo que depois volte a tomar, ele não irá funcionar apropriadamente. É preciso que seja constante e contínuo.

Corpo e mente em harmonia

Quando estas quatro condições – a semente, as condições-suporte, sujeito e objeto surgindo simultaneamente e, ainda, concentração – estão presentes, então a formação mental surge.

O particular e o universal

Se tudo está conectado, então qual a diferença entre o universal e o particular?

Imagine que a consciência da mente esteja observando um elefante andando. Durante a observação, o objeto da consciência da mente pode não ser o vai e vem do elefante. Pode ser somente uma construção mental do elefante, baseada em imagens anteriores que foram gravadas na consciência armazém. A consciência da mente, então, perdeu contato com o particular; agora está em contato com o universal.

Imagine que olhamos para uma flor – estamos realmente olhando profundamente para a flor – e sabemos que aquela flor, em particular, é objeto de nossa consciência da mente. Possuímos a capacidade de tocar o particular, a realidade das coisas. No budismo, frequentemente, isto é denominado de *svalakshana*, ou qualidade da coisa tal como ela é. Nós somos formados para, usualmente, perceber o símbolo universal da imagem, em vez do particular, quando nossos órgãos dos sentidos acessam o particular. Quando nós olhamos para o vermelho, a cor de uma flor silvestre, nós possuímos uma forte inclinação para ver o "vermelho" universal, em vez da coloração única apresentada para nós em termos de ondas de luz e vibração. É o mesmo no que diz respeito a humanos, animais, plantas, nuvens – tendemos a ver tudo em sua natureza universal. Aí, não estamos mais em contato com o particular, com os elementos básicos. A consciência armazém é capaz de entrar em contato com o particular, da mesma forma que a consciência da mente. Mas, normalmente, a consciência da mente entra em contato com a imagem do particular transformada nos universais.

Cinco formações mentais universais

As cinco formações mentais universais são, cada uma a sua maneira, um pouco físicas também. Elas nos fazem lembrar que a consciência é física e mental ao mesmo tempo. O contato é a primeira, seguida da atenção, sentimento, percepção e volição. Estas cinco formações mentais podem assumir o comando muito rapidamente, e a intensidade e a profundidade delas variam a cada nível de consciência.

Contato

No budismo, o contato, a primeira formação mental universal, é definido como um agente, uma energia que pode reunir três coisas: órgãos dos sentidos, objeto da percepção (dos sentidos) e consciência dos sentidos. Quando o trio está completo, as condições para o conhecimento são preenchidas. Antes do contato, estas coisas podem existir separadamente. O olho está aqui, a nuvem está lá, a consciência do olho, em forma de semente, está na consciência armazém. Na verdade, as três são sementes na consciência armazém. O contato provoca uma modificação, uma mudança no órgão da consciência do olhar, por exemplo. O contato provoca uma impressão no órgão e esta impressão pode ser fraca ou forte. Se ela for forte, vai ser mais estimulante e possuirá maiores chances de acessar um nível mais elevado de consciência. Caso contrário, a impressão será simplesmente reconhecida como algo sem importância e entrará no *continuum* da vida imediatamente.

Se uma impressão não é muito importante, então, em apenas um *kshana*, há uma vibração do *continuum* da vida e, depois disto, a superfície do *continuum* da vida permanecerá calma. Estamos continuamente reconhecendo as impressões como importantes ou não importantes, algo já sabido ou não. O que já é sabido, da mesma forma

Corpo e mente em harmonia

que o que foi considerado sem importância, é assim classificado imediatamente, muito rapidamente, e não possui oportunidade de acessar o nível mais alto da consciência. Esta é a razão para dizermos que o contato é de diferentes tipos. Dependendo da intensidade do contato, um sentimento real será atingido ou não. Neste baixo nível, o cérebro tende a não permitir que a informação vá para o nível mais alto de consciência. Ele tende a dissuadir, a reduzir e processar tudo no nível da consciência armazém. A maioria das informações recebidas em termos de contato e atenção é processada neste nível.

Atenção

Quando a intensidade do contato é suficientemente importante, a segunda formação mental universal irá se manifestar, atenção, *manaskara*. A atenção é uma energia que possui a função de conduzir e orientar a mente em direção ao objeto, desde que o contato não seja algo muito familiar nem seja embotado. Deve ser algo desconhecido, estranho, importante, para chamar atenção. A atenção é como o leme do barco. Se não há leme, o barco não sabe para onde vai. A mente, então, é convidada a prosseguir em direção ao objeto. Você se interessa por ele; isto é atenção. É como um cortesão que introduz um camponês ao rei. O camponês vai ao palácio para ver o rei, mas, chegando lá, não sabe como encontrá-lo. Então, o cortesão fala: "O rei está nesta direção; vou levar você até ele". A atenção possui o dever de orientar a mente para a direção do objeto que pode ser interessante.

Uma vez que o contato tenha ocorrido entre o "objeto dos sentidos e o órgão dos sentidos", seguido da atenção, há o fenômeno do olhar, do reconhecer, por intermédio de uma ou mais entradas dos sentidos. A atenção nasce, há a visão e, então, a recepção dos sinais. A sequência dos eventos é a seguinte: vibração do *continuum* da vida, captura da vibração, abertura de uma entrada dos sentidos. E, então, os cinco órgãos dos sentidos estão em funcionamento. Daí há a visão, *darshana*, recepção e transmissão dos sinais. No momento seguinte, há investigação. É desta forma que se dá o processamento das informações. Isto tudo acontece em apenas microssegundos. No oitavo *kshana*, há um ato de determinação da consciência e, se o objeto de conhecimento é suficientemente interessante, poderoso o suficiente, durante os próximos cinco ou sete *kshanas* há um processo contínuo chamado impulso. Durante o período destes cinco ou sete *kshanas*, haverá gostar, desgostar, uma decisão sobre fazer ou não fazer algo. Assim, o elemento do livre-arbítrio pode ter uma chance de intervir aqui. Finalmente, durante o décimo sexto ou décimo sétimo *kshana*, se o objeto for suficientemente poderoso, ele será processado e reconhecido.

O rei e as mangas: uma estória sobre o processamento e sobre a percepção

Se a vibração do contato, criada pelo objeto de percepção (dos sentidos) de uma pessoa, for extremamente fraca, então no terceiro *kshana* irá se afundar e penetrar *bhavanga*, no *continuum* da vida, não tendo um efeito muito grande no nível superior da consciência. Se a vibração do contato for mais forte, então a percepção tem chance de alcançar a, plenamente atenta, consciência da mente. Este é o processo de conhecimento, tal como descrito pelos antigos praticantes.

No compêndio de Abhidharma, um interessante exemplo é dado. *Bhavanga*, a consciência armazém, é o rei adormecido. Há um rei tirando uma soneca. A rainha e algumas damas na espera estão sentadas próximas, porque o rei pode acordar a qualquer momento e precisar de algo. Na porta do interior do palácio, há um homem que guarda a porta. Ele é surdo e possui o poder de abrir e fechar a porta. Do lado de fora, há um homem que veio oferecer ao rei uma cesta de mangas. Quando este homem, com a cesta de mangas, bate na porta, o rei acorda. Esta

Corpo e mente em harmonia

é a vibração do *continuum* da vida. Então, uma dama na espera olha para o homem surdo, faz um sinal e dá a ordem de abrir a porta. O homem surdo abrindo a porta é uma entrada dos sentidos se abrindo. O homem com a cesta de mangas entra e as pessoas veem a manga e se tornam cientes de que alguém está trazendo mangas ao rei. Então, uma das damas na espera recebe as mangas. A rainha vai até lá e seleciona duas ou três maduras e as entrega para uma das damas que esperava para descascá-las para o rei. Então, a manga é oferecida ao rei. Durante as próximas cinco ou sete *kshanas*, o rei come a manga e há gostar ou desgostar, apego ou não apego. Ele pode decidir comer só um pouco ou comer muito, e assim por diante. Depois disto, o rei reconhece que comeu as mangas, que elas são boas, que foi uma boa coisa a pessoa ter vindo oferecer para ele algumas mangas e ele, ainda, avalia a qualidade delas. Depois disto, ele volta a dormir. Este é o processo de um pensamento, de uma percepção. E você vê que, nos tempos antigos, os praticantes já eram cientes de que a mente trabalha muito rapidamente e que todos estes processos de conhecimento ocorrem em apenas sete a dezessete *kshanas*, o que é um momento muito breve.

Atenção apropriada e não apropriada

A palavra "atenção" é traduzida da palavra *manaskara* em sânscrito, *manasiikara* na língua páli. *Manaskara* puxa nossa atenção ao objeto. Esta também é a nossa prática. No ensinamento budista, distinguimos dois tipos de atenção: atenção apropriada e atenção não apropriada. Se você vai construir uma cidade, uma *Sangha*, ou um centro de prática, você deve ser capaz de criar as condições para a atenção apropriada ocorrer o tempo todo. Quando a sua mente está direcionada para algo importante, espiritual, bonito e benéfico, influencia positivamente a totalidade do seu ser, a totalidade da sua consciência. Se sua mente está dirigida para algo prejudicial, como

O rio de consciência

ser levado para um grupo de pessoas que são viciadas em drogas, isto é uma atenção não apropriada.

No budismo, somos impelidos a praticar atenção apropriada, _yoniso manaskara_. Por exemplo, uma irmã faz tocar o sino. Há contato quando sua orelha escuta o som, e isto faz surgir a consciência do ouvido. Quando você ouve o sino, você se orienta em direção ao objeto, na direção do som do sino e, então, diz: "Eu ouço, eu ouço, este som maravilhoso me traz de volta a minha verdadeira casa". E, por causa da orientação da mente, em direção a um objeto benéfico, você rega as sementes bonitas que existem em você. Você se estabelece no aqui e agora, você toca a profundidade do seu ser e você recebe cura e paz – isto é o que chamamos de _yoniso manaskara_, atenção apropriada. Se você conhece a prática, você organiza sua casa, sua sala de estar, seus horários, para que forneçam diversas oportunidades para sua mente tocar o que é benéfico e positivo. Muitas pessoas programam um sino para tocar, para despertar a plena atenção e elas, então, apreciam o respirar, o sorrir e o não se perder em seu trabalho. Esta é prática do _yoniso manaskara_, da atenção apropriada.

Se a sua atenção é puxada para uma situação perigosa, prejudicial e você se envolve nela, isto se chama _ayoniso manaskara_, atenção não apropriada. Precisamos usar nossa inteligência para organizar nossa vida e criar um ambiente onde há coisas e pessoas que nos ajudem a entrar em contato com o positivo, com coisas que nos alimentam. Por exemplo, num centro de prática, tudo tem que ter a função de ajudar você a ir para casa de você mesmo e tocar as maravilhas da vida dentro de você e ao seu redor.

Sentimento

A terceira formação mental universal é o sentimento. O contato possui o dever de reunir os três elementos e servir como fundamento

Corpo e mente em harmonia

para um sentimento. Os sentimentos são de três tipos: aprazíveis, não aprazíveis e neutros. O contato pode trazer um sentimento logo em seguida e o sentimento, por sua vez, pode ajudar a trazer mais atenção.

Há sentimentos aprazíveis que podem levar para mais cura e transformação, e há sentimentos aprazíveis que podem destruir seu corpo e sua compaixão. Então, sentimento é o tipo de energia que pode trazer prazer, que pode trazer sofrimento ou que pode simplesmente trazer mais atenção sobre o que está lá – chamamos esta função de sentimento.

Percepção

A quarta formação mental universal é a percepção, *samjña*. A percepção nos ajuda a receber o sinal do objeto e as características dele. Por exemplo, quando você olha para uma montanha, a percepção ajuda você a ver as características da montanha como formas e cores. Uma montanha não é um rio. Uma montanha possui a aparência e a forma de uma montanha. E um rio possui a aparência e a forma de um rio. O papel da percepção é ver a forma, as características do objeto. Aquele nome pode já estar lá na consciência armazém. Se você vir os Pireneus pela segunda vez e você já ouviu o nome Pireneus, então, durante a percepção, a imagem antiga dos Pireneus e o nome Pireneus, que você armazenou em sua consciência armazém, avançam para servir de base para seu presente conhecimento. É por este motivo que falamos que o conhecer é reconhecer e atribuir um nome. Estas são a natureza e a função da percepção. Mas o Buda nos avisou para ficarmos atentos! Em todo lugar que há uma percepção, há uma ilusão. Todos somos vítimas de percepções errôneas. Pense no amante que está repleto de falsas percepções.

Volição

A quinta e última formação mental universal é a volição. Volição é a energia que empurra você para fazer algo, para correr atrás de algo ou correr para longe de algo. É o tipo de energia que resulta da percepção e dos sentimentos, e que dá relevo para a intenção, para a volição de fazer algo. No primeiro caso, você quer fazer algo. Ela pode destruir você e, mesmo assim, você ainda quer fazer esta coisa. Você pode saber, intelectualmente, que, se fizer esta coisa, sofrerá muito. Mesmo assim, você quer isto. Depende da força que possui na consciência armazém. Se for sabedoria e determinação suficientes, então, naturalmente, você dirá: "Não, não vou fazer isto". Então, você está livre – isto é algo muito desejável.

Há outras coisas que são atrativas, mas que são perigosas. Por exemplo, sair para ajudar as pessoas. Você está motivado pelo desejo de ajudar, de servir, de reconciliar. Talvez haja algum perigo, você pode mesmo perder sua vida. Mas, se você possui muita compaixão, se você tem o *insight* de que não há nascimento e não há morte, você não teme mais e vai de qualquer forma. Este tipo de desejo é benéfico. Isto é volição.

Há, também, coisas que você não quer fazer. Você quer fugir de alguma coisa, tem medo dela, está determinado a não fazer esta coisa. Mesmo que seja uma coisa boa a se fazer, você não quer fazer. "Por que me importar em ajudar outras pessoas? Elas são todas ingratas." Então, tudo depende dos montantes de sabedoria e compaixão que já estão na consciência armazém. Nossa decisão, a qualquer momento, depende fortemente da decisão que já foi feita no nível da consciência armazém.

Há, ainda, algumas coisas que possuem apenas natureza funcional. Você simplesmente as faz. Não é muito importante, mas pertence aos aspectos práticos da vida. Não é incrivelmente importante para você, mas você possui a intenção de fazer esta coisa e a faz.

As cinco universais sempre funcionam a todo tempo e em todos os níveis de consciência. Esta é a razão para serem chamados de *citta sarvatraga*, "sempre associadas à consciência". Elas sempre trabalham juntas e constituem o conteúdo da consciência. O nível da consciência determina quais são a intensidade e a profundidade da formação mental.

As formações mentais particulares

As formações mentais operam de maneira muito similar nas diferentes pessoas. Sob certo aspecto, elas são consciência. O que diferencia cada consciência são as formações mentais particulares: intenção, convicção, concentração, estado de plena atenção e *insight*. Com estas formações mentais particulares, o despertar é possível. Intenção e convicção podem ajudar a trazer você para o estado de plena atenção, e este estado sempre traz concentração. E se você está suficientemente concentrado, começa a ver a qualidade das coisas tal como elas são mais claramente.

Intenção

A primeira formação mental particular é a intenção, *chanda*. Intenção é o desejo de fazer algo, por exemplo: ver, ouvir, tocar. A intenção, também, pode ser nossa determinação em sermos atenciosos e nossa compreensão de que podemos criar as condições para o hábito da plena atenção. Alguns neurocientistas descobriram que há atividade cerebral visível aproximadamente dois décimos de segundos antes de a intenção iniciar. Poderíamos chamar isto de pré-intenção. Frequentemente, não percebemos que tínhamos a intenção de fazer algo, até que estejamos fazendo este algo.

O rio de consciência

No trabalho, por exemplo, você pode perceber que há pessoas que precisam parar de tempos em tempos. Uma forma das pessoas tirarem uma pausa é sentando para trás e acendendo um cigarro. Enquanto fumam, não têm que pensar sobre negócios, apenas tiram uma folga. Inspirar e expirar proporciona mais descanso do que fumar, mas requer a intenção da plena atenção. Algumas pessoas chegam a programar o computador para que, a cada quarto de hora, toque o som de um sino de meditação, quando, então, apreciam parar, inspirar e expirar.

Da próxima vez que você for almoçar, observe a maneira como você come. Deixe a plena atenção brilhar a cada movimento durante a hora de comer. Podemos ter a impressão de que estamos operando uma máquina. Apesar de termos a intenção de pegar um pedaço de tofu, apesar de existir o ato de pegar o tofu, de colocar na boca e de mastigá-lo, fazemos isto naturalmente, sem fazer qualquer esforço cerebral. Nossa mãe, nosso pai ou nosso professor nos ensinaram a mastigar, a usar garfo e faca. Com educação, com ensinamento, com prática, oferecemos para nossa mente armazém os nossos modos e eles, então, podem se tornar automatizados, como bons hábitos. Nós podemos pegar nossa intenção de comer atentamente e tornar isto um hábito, um produto da consciência armazém, da mesma forma que usamos nossa prataria.

Convicção

A segunda formação mental particular é convicção, *atimoksa*. Convicção é a confirmação de algo bem estabelecido. Você reconhece algo, sabe o que é e não tem mais dúvidas. Quando você vê a mesa, diz: "Isto é uma mesa, tenho certeza de que é uma mesa". Isto é *atimoksa*. Você tem certeza absoluta de que é uma mesa. Mas pode estar errado. Ainda assim, você possui convicção. Você vê uma pessoa. Você tem certeza de que é um inimigo, um terrorista. Não tem dúvida de

Corpo e mente em harmonia

que esta pessoa é um inimigo por causa da forma como ele olha e da forma como age. E este tipo de convicção leva à ação. Você poderá ajudar, recuperar ou destruir a pessoa, dependendo da sua convicção. A convicção não significa que você esteja certo em sua percepção, ainda assim você tem a sensação de estar certo.

Quando você olha para uma rosa, tem a convicção de que é uma rosa. Isto é uma convicção, mas não significa que sua convicção seja justificada. A convicção tende a ser base para a ação. Possui a função de dissipar dúvidas. Na lista das formações mentais, a dúvida foi classificada como prejudicial. Mas, para mim, a dúvida deve ser classificada no grupo de formações mentais indeterminadas, porque dúvida é algo proveitoso. Se você não duvida, não tem a chance de descobrir a qualidade da coisa tal como ela é. No zen-budismo, quanto maior for sua dúvida, maior será sua iluminação. Esta é razão para a dúvida poder ser algo bom. Se você possui muita certeza, se sempre tem convicção, então você pode ficar preso em uma percepção errada por um longo tempo.

Concentração

Concentração, *samadhi*, é a terceira formação mental particular. Quando ouvimos um sino, podemos ouvir muito profundamente. Com a prática, a qualidade da escuta se torna mais e mais profunda com o tempo. Você é capaz de convidar as células de seu corpo a participar da escuta e não apenas seu cérebro ou seus nervos. Há uma comunidade de células e estamos plenamente focados nela. O Buda usou a palavra *sarvakaya*, a totalidade do corpo. Esta é a terceira formação mental particular, a concentração.

Qualquer coisa que você faça com intenção, você pode convocar a participação de todas as células. E se você faz isto profundamente, então cada célula se comporta como todo corpo, cada célula se torna o corpo todo. Não há mais distinção entre esta ou aquela célula, trilhões de células estão se comportando como uma. Isto é concentração. O estado de plena atenção carrega dentro de si a energia da concentração. Claro que você possui concentração, mas o poder da sua concentração é diferente do poder de concentração de outra pessoa. Se você continuar a praticar, sua energia de concentração se torna mais e mais poderosa, apenas por ouvir o sino. Se você conseguir convocar todas as células a se juntarem a você e conseguir ouvir como um organismo (e não somente com seu intelecto), a situação se tornará muito diferente.

Quando estamos muito concentrados em meditação, não ouvimos, vemos ou sentimos mais nenhum aroma. As cinco consciências dos sentidos param, porque a concentração da consciência da mente é muito poderosa; então, ela funciona isoladamente. Mas, em nossa vida diária, há muitos momentos em que nossa consciência da mente colabora com a consciência dos sentidos. Imagine que você está numa exposição e fica absorvido por uma obra de arte – é tão interessante e bonita que sua consciência da mente fica totalmente absorvida por ela. As pessoas estão falando atrás de você e ao seu redor, mas você não ouve. Sua energia está reunida e focada para aquela obra.

Mas a concentração em si não é necessariamente positiva. Se você está concentrado no objeto de seu desejo ardente, você pode enlouquecer. Se você se concentrar no objeto de sua ira, você pode ficar louco. Mas se você se concentrar na verdade do não eu, da impermanência, então sua concentração terá efeito de libertação. Este é o motivo para distinguirmos entre concentração correta e falsa concentração.

Plena atenção

A plena atenção é escrita, em chinês, com dois caracteres que significam "agora" e "mente". Em sânscrito é *smrti*. O primeiro significado de *smrti* é "lembrar". A prática da plena atenção é lembrar de lembrar. A plena atenção é o tipo de energia que ajuda a pessoa a ficar atenta ao que está se passando. Quando você está fazendo algo bom, você sabe: "Eu estou fazendo algo bom". Quando você está fazendo algo sobre o qual pode se arrepender mais tarde, você sabe: "Eu estou ciente de que estou fazendo algo que posso me arrepender mais tarde". A plena atenção está dentro de você. A semente da plena atenção está lá, depende da sua prática e de seu cuidado ela estar ainda fraca ou já ter se tornado mais poderosa.

Temos que distinguir entre a plena atenção correta e falsa. Depende do objeto da plena atenção e da forma como você lida com a plena atenção. Se você focar sua atenção apenas em coisas negativas, como um objeto de desejo ardente, ou um objeto de ira, e se você perder sua soberania, isto é plena atenção falsa, isto é plena atenção negativa. Quanto mais você focar sua mente na pessoa que você odeia, mais você irá odiá-la. A plena atenção correta se trata de retornar ao inspirar e expirar, de se tornar ciente de que a ira está lá e de que ela pode fazer você sofrer e fazer a pessoa, que é objeto dela, sofrer. Isto é plena atenção correta: tomar conta da sua ira e não focar toda atenção à pessoa que você acredita que seja a fonte de seu sofrimento. Então, distinguimos entre plena atenção correta e falsa plena atenção.

Insight

Com concentração e plena atenção, a quinta formação mental particular, o *insight*, torna-se possível. O *insight* correto, chamado de *prajña*, possui o poder de trazer liberdade, de trazer compaixão e compreensão. Já o *insight* errado é o tipo de afirmação que pode ser o contrário da verdade. Por exemplo, você acredita que algo seja verdade, você tem certeza de que é verdade. Você acredita que ele seja o inimigo. Você acredita que ele é o mau; então, você tem que destruí-lo se quiser proteção, segurança e felicidade. Este tipo de certeza é um *insight* falso. Muitos têm *insight* falso, que são percepções errôneas em nós, base para nossas ações e decisões. Esta é a razão para ser tão importante distinguir entre um *insight* correto e um falso. Possuímos algumas ideias e temos certeza sobre elas. Se alguém diz: "Pense novamente!", isto pode ajudar e podemos ter uma chance. Ter certeza de algo é muito perigoso, especialmente quando você possui uma posição muito importante na sociedade e suas decisões afetam a vida de muitas pessoas.

Para os médicos, um diagnóstico errado pode matar pessoas; então, eles têm que ser cuidadosos. Médicos me disseram que na escola de medicina eles são ensinados a checar novamente, mesmo se tiverem certeza. Este conselho é duplamente verdadeiro para aqueles que desejam praticar a plena atenção. Algumas vezes, possuímos certeza sobre nossas percepções. Nossa ira, nosso medo, nosso desespero, nosso ódio nasce de nossas percepções errôneas. Seria mais seguro escrever em letra cursiva: "Você tem certeza?" e pendurar isto no escritório ou no local de trabalho. Este é o sino da plena atenção. Sempre volte para suas percepções, cheque novamente e não tenha tanta certeza.

5

Percepção e realidade

Na consciência armazém, possuímos acesso direto à realidade, às coisas como elas são. Na raiz, na consciência armazém, situa-se a sabedoria básica de cada um de nós, sabedoria que possui a capacidade de tocar diretamente a realidade em si. A consciência armazém tem acesso a toda informação que existe, à totalidade das sementes. Mas, frequentemente, quando vivenciamos algo com um de nossos sentidos, temos um sentimento previamente condicionado de ligação ou de aversão, baseado nas experiências anteriores. Classificamos as coisas de acordo com os compartimentos que já possuímos em nossa consciência armazém.

Nossa percepção de algo tende a se basear sobre o patamar das experiências anteriores. Vivenciamos algo no passado e comparamos isto com o que encontramos no presente, sentimos que reconhecemos este algo. Pintamos a informação com as cores que já existem dentro de nós. Esta é a razão para, na maior parte do tempo, não termos acesso direto à realidade.

Há ostras que vivem no fundo do oceano. Um pouco da luz que aproveitamos aqui em cima é capaz de chegar lá embaixo. A ostra, no entanto, nao consegue ver o oceano azul. Nós, seres humanos, estamos caminhando sobre o planeta. Quando olhamos para cima, vemos as constelações, as estrelas, a lua, o céu azul e, quando olhamos para baixo, vemos o oceano azul. Nós pensamos que somos seres superiores às ostras e temos a impressão de que vemos e ouvimos tudo. Mas, na realidade, somos como um tipo de ostra. Possuímos

Corpo e mente em harmonia

acesso somente a uma zona muito limitada das coisas tal como elas são verdadeiramente.

A maior parte de nossa inabilidade para tocar a realidade advém da autoignorância, *atma avidya*. Não conseguimos ver que o eu é formado apenas de elementos não eu. Porque estamos fixados à ideia de eu, acabamos tendo muitos complexos sobre nós, pensando que somos superiores, inferiores ou exatamente iguais a alguém. Somos capturados pelo autoamor, mana. Este é o motivo para a consciência mana possuir o nome "a amante"; é uma amante com muitas ilusões, que serve como base para fixação. Este autoamor faz com que seja muito difícil, para nós, perceber a realidade acuradamente. Pense em como é quando você se apaixona por alguém, você não ama realmente esta pessoa. Você cria uma imagem e você ama esta imagem. O objeto de nosso amor não é a coisa em si, não é *svalakshana*. É uma representação mental da realidade e não realidade mesma. Isto é verdade, quer estejamos olhando para uma montanha, para Paris, para uma estrela ou para outra pessoa. Usualmente, estamos apenas lidando com *samanya*, com representações.

A consciência denominada mana vive sob o domínio das ilusões. Mas a consciência da mente e a consciência dos sentidos, como nossa consciência armazém, possuem a capacidade de tocar a realidade mesma. Isto demanda treinamento, porque muitos perderam esta capacidade. A boa notícia é que, com a prática da plena atenção, podemos restaurar nossa capacidade de tocar as coisas tal como elas são.

A consciência dos sentidos frequentemente pode tocar a realidade diretamente. Nosso olho, ouvido, nariz, língua e a consciência do corpo não usam inferência ou análise. O modo direto de conhecimento é chamado de *pratyeksha pramana*. Quando você olha para uma nuvem, você não tem que pensar ou raciocinar. Você não tem que usar inferência ou dedução. Você simplesmente sabe.

Percepção e realidade

Nossa consciência da mente também pode tocar a realidade por intermédio da razão, *anumana pramana*. Nossa mente pode usar a razão discursiva, indução, dedução e inferência. Suponha que, de longe, você veja fumaça. Por inferência, você sabe que há fogo, porque sem fogo não pode haver fumaça.

Mas a percepção direta é algumas vezes incorreta. Algumas vezes, temos certeza de que ouvimos algo, um bebê chorando, por exemplo. Mas é, na verdade, um gato. Em função de nossas pré-concepções, nossa consciência dos sentidos pode nos induzir a um erro. A percepção indireta, a razão, também está frequentemente incorreta.

O conhecimento é um obstáculo para o conhecimento

Frequentemente, nosso próprio conhecimento é o maior obstáculo para entrarmos em contato com as coisas tal como elas são. Esta é a razão para ser muito importante aprender a descartar nossos próprios pontos de vista. O conhecimento é um obstáculo para o conhecimento. Se você é dogmático em sua forma de pensar, é muito difícil receber novos *insights* para conceber novas teorias e compreensões sobre o mundo. O Buda falou para considerarmos seu ensinamento como uma balsa que ajuda você a chegar à outra margem. O que você precisa é de uma balsa para atravessar o rio, para chegar do outro lado. Você não precisa de uma balsa para adorar, para carregar nos ombros e para ter orgulho por ter posse da verdade.

O Buda falou que até o Darma tem que ser descartado, isso sem mencionar o não Darma. Algumas vezes, ele ia mais longe. Ele disse que seu ensinamento era como uma cobra. É perigoso. Se você não sabe como lidar com ele, você será picado.

Um dia, em um encontro, um mestre Zen disse: "Caro amigo, sou alérgico à palavra 'buda'". Você sabe que ele é um mestre Zen porque

Corpo e mente em harmonia

ele fala sobre o Buda desta forma: "Toda vez que sou forçado a proferir a palavra 'Buda', tenho que ir até o rio e enxaguar minha boca três vezes." Muitas pessoas ficaram confusas porque ele era um professor de budismo. Ele deveria louvar o Buda. Por sorte, havia uma pessoa no grupo que entendeu. Ela se levantou e disse: "Caro professor, toda vez que eu ouço você dizer a palavra 'Buda' tenho que ir até o rio e lavar meus ouvidos três vezes". Este é um exemplo budista de um bom professor e de uma boa aluna!

Os três domínios da percepção

O Buda escreveu:

> Todas as coisas compostas são como um sonho,
> um fantasma, uma gota de orvalho, um raio de luz.
> Esta é a forma de meditar sobre elas.
> Esta é a forma de observá-las[4].

No budismo, falamos sobre três tipos de objeto que podemos perceber. O primeiro tipo de objeto é chamado de domínio da realidade mesma. Ele confirma que nossos olhos, nossos ouvidos e nosso nariz possuem a capacidade de alcançar a coisa em si, mesmo que raramente funcionemos neste domínio na vida cotidiana.

O segundo domínio é o domínio das representações. Por causa de nossas tentativas de apreender a realidade, esta se perde, e recebemos, então, somente representações da realidade, o mundo das representações. Temos apenas uma ideia do que a realidade de alguém seja. Temos uma ideia de quem a pessoa seja, contudo, nossa ideia é uma ideia e não a realidade mesma. Então, usamos noções e conceitos para compreender a realidade. Quando olhamos para uma mesa, vemos a

---

[4] Do Sutra Diamond, ver HANH Thich Nhat. *The Diamond that Cuts through Illusion*: Commentaries on the Prajñaparamita Diamond Sutra. Berkeley, CA: Parallax Press, 1992, p. 25, 113.

Percepção e realidade

noção, a "mesi-dade" geral universal da mesa. Porém, as percepções da mesa, como uma representação, carregam alguma substância da coisa em si. Elas podem carregar algum núcleo de realidade, mas a percepção da mesa não é realidade em si.

O terceiro domínio dos objetos da percepção é a mera imagem. Quando você sonha, quando você imagina, o que você vê e o que sente pertencem ao terceiro domínio, o domínio das meras imagens, imagens que estão armazenadas na consciência armazém. Você viu um elefante e a imagem de um elefante é estocada, lá embaixo, na consciência armazém. Quando você sonha com um elefante, a consciência da mente, que tem acesso ao armazém, vai lá embaixo e pega a imagem de um elefante e o elefante que você vê não é o mesmo da realidade, não é o mesmo das representações, mas o elefante da mera imagem.

Estas imagens, apesar de não serem as coisas em si, podem ser instrumentos úteis para meditação. Quando visualizamos algo, este algo não é realmente o que percebemos com nossos órgãos dos sentidos. Este algo é objeto ou produto de nossa imaginação. Imagine que você visualiza o Buda. De certa forma, o Buda em você é uma mera imagem. Mas a mera imagem do Buda pode ajudá-lo a se concentrar e a tocar a substância do Buda real, que nomeamos de concentração, compreensão e compaixão.

Depende de você escolher um buda e visualizar ele ou ela dentro de você. Se esta imagem for boa para você se concentrar, você pode conseguir levar calma, alegria e compaixão para sua mente. Há uma meditação que aprendemos quando somos monges iniciantes que é útil para ilustrar este ponto.

A meditação é da seguinte forma. Primeiro você diz para si mesmo: *Aquele que reverencia e aquele que é reverenciado são ambos vazios por natureza.* Isto significa que eu estou no Buda e o Buda está

Corpo e mente em harmonia

em mim, então não há eu separado. Este é o começo da visualização. Você quer apagar a diferença, a dualidade entre você e o Buda. Você não necessita de uma ferramenta externa, de um apagador para apagar a barreira entre ambos. O Buda dentro de você é uma maravilhosa ferramenta.

A visualização continua: *Nosso centro de prática é a rede de Indra, refletindo todos os budas em todos os lugares*. A rede Indra é descrita nos sutras budistas como uma rede feita de joias e, em cada joia, você vê refletidas todas outras joias. Olhando para uma, vê todas. Isto significa que todos os budas no cosmo se manifestam neste centro de prática. Você não vê um buda sozinho, mas inúmeros budas comparecendo.

Imagine que você constrói uma sala feita de espelhos. Então, você entra e está carregando uma vela na mão. Olhando para um espelho, você vê você e uma vela naquele espelho e, também, vê você e uma vela no reflexo de outro espelho. Não apenas um espelho reflete outro espelho, mas reflete também todos os outros espelhos, porque cada espelho possui você e a vela nele. Você apenas precisa olhar para um espelho para ver todos os reflexos de você e da vela até a infinidade. Há incontáveis espelhos, incontáveis velas e incontáveis você.

Então, quando você entra em contato com o Buda e o visualiza, não encontra apenas um, mas incontáveis budas aparecendo ao seu redor. Visualiza isto e, perante cada buda, há um você praticando tocar a terra diante do Buda. Você não pode contar a quantidade de budas e não pode contar a quantidade de você. Não há limite. Você também apaga a ideia de que você é uma realidade e o Buda é outra. Você toca a natureza do entre-ser e pode se libertar das noções de um e de muitos, de igual e de diferente.

Esta é uma prática um pouco difícil. É mais difícil que simplesmente fazer uma reverência para uma estátua do Buda ou tocar a terra

Percepção e realidade

em reverência ao Buda. Esta é a prática do entre-ser e começa com uma imagem. Então, quando você diz que o domínio da percepção é o domínio da "mera" imagem, não o subestime. Leva muitos anos de prática. No momento em que você consegue fazer isto, se sente maravilhoso, e se liberta da noção de eu separado com este tipo de prática. A prática da visualização é muito importante no budismo.

A mãe e o Buda

No Sutra Avatamsaka há uma parte maravilhosa descrevendo o jovem homem Sudhana procurando pela mãe do Buda. O jovem Sudhana foi a muitos professores para aprender. Seu professor é o grande Manjushri *Bodhisattva*, que encorajou o discípulo a ir e aprender com muitas pessoas, não somente professores idosos, mas também professores jovens, não somente professores do budismo, mas também professores que não eram do budismo. Então, um dia, Sudhana escutou que devia ir e encontrar a mãe do Buda, porque ele poderia aprender muito com ela. Ele foi à procura dela, mas gastou muita energia e não foi capaz de encontrá-la. Alguém falou para ele: "Você não tem que ir a lugar algum, você apenas se senta e pratica respiração e visualização atentas e, então, ela aparecerá". Ele parou de procurar, sentou-se e praticou. De repente, ele viu emergir uma flor de lótus com mil pétalas das profundezas da terra. E, sentada em uma destas pétalas, ele viu a mãe do Buda, a Senhora Mahamaya. Ele fez reverência e, repentinamente, percebeu que estava sentado numa pétala da mesma flor de lótus. Cada pétala se tornou uma flor de lótus completa com mil pétalas. Você vê, a unidade contém o todo.

A flor de lótus continha mil pétalas. A Senhora Mahamaya estava sentada em uma pétala e, de repente, a pétala se tornou uma flor de lótus completa com mil pétalas. Ele, jovem homem, viu-se sentado em uma pétala e, de repente, ele viu que sua pétala se tornou uma flor de lótus

Corpo e mente em harmonia

completa com mil pétalas. Ele estava tão feliz que juntou suas mãos e olhou para cima. Então, uma conversa muito agradável começou entre a mãe do Buda e o jovem homem Sudhana. Mahamaya falou: "Jovem homem, você sabe de uma coisa? O momento em que concebi Sidarta foi um momento muito maravilhoso. Foi uma espécie de contentamento que atravessou todo meu ser. A presença do Buda dentro de você é uma coisa maravilhosa. Você não pode ser mais feliz que isto. Sabe, jovem homem, depois de Sidarta ter entrado em meu ventre, inúmeros *bodhisattvas* vieram de muitos lugares e pediram minha permissão para entrar e visitar meu filho. Inúmeros amigos *bodhisattvas* de Sidarta vieram visitá-lo, para se certificarem de que seu amigo estava confortável lá. Eles todos entraram em meu ventre, milhões deles. E, ainda assim, eu tinha a impressão de que se houvesse mais *bodhisattvas* que desejassem entrar, ainda haveria bastante espaço para eles. Jovem homem, você sabe de uma coisa? Sou a mãe de todos os budas do passado. Sou a mãe de todos os budas do presente. E serei a mãe de todos os budas do futuro". E isto foi o que ela disse. Bonito. Muito profundo. Este é o trabalho de visualização, para mostrar para você a natureza do entre-ser e a verdade de que a unidade contém o todo. O menor dos átomos pode conter todo o cosmo.

Quem é Mahamaya, a mãe do Buda? Ela é alguém exterior a você ou é você mesmo? Cada um de nós carrega um buda em nosso ventre. Mahamaya é a senhora que possui muita ciência disto. Ao caminhar, ao sentar, é muito cuidadosa, porque ela sabe que carrega o Buda dentro dela. Tudo que ela come, bebe, tudo que faz, todo filme que ela vê, sabe que terá um efeito sobre sua criança. O Buda Shakyamuni disse: "Você é um buda. Há um bebê buda em cada um de nós". Seja você uma senhora ou um senhor, você carrega dentro de si um buda. E, ainda assim, não somos tão cuidadosos quanto Mahamaya na forma como comemos, bebemos, fumamos, ficamos preocupados, projetamos, e

Percepção e realidade

assim por diante. Não somos uma mãe responsável do Buda. E, como Mahamaya, há espaço suficiente dentro de nós, não apenas para um buda, mas para incontáveis budas. Podemos afirmar que fomos todas as mães do Buda do passado como Mahamaya. Podemos ser a mãe de todos os budas do presente. E podemos ser capazes de ser a mãe de todos os budas do futuro?

Mahamaya é uma realidade objetiva exterior? Ou ela está em nós? Se você visualiza que você é a mãe grávida do Buda, todos os complexos irão desaparecer. Você pode se comportar com a responsabilidade da mãe do Buda, para que o Buda em você possua uma chance de se manifestar para você, para o mundo. Esta é razão para a visualização ser uma ferramenta tão importante. Ela pode nos ajudar a apagar todas as percepções errôneas dentro de nós, para que a realidade possa se revelar muito claramente para nós.

Domínios da percepção nos sonhos e na criatividade

Em um sonho, você está, essencialmente, no domínio da percepção, da mera imagem. Você não está usando seus olhos, seus ouvidos, seu nariz e sua língua. Mas, no sonho, você vê, ouve, fala. Vê amigos, pessoas que são estranhas para você. Pode ver uma guerra, bombas caindo, pessoas morrendo. Você pode até mesmo beijar ou fazer amor, mas não há ninguém, não há realidade, nem mesmo representação. E você acredita que o sonho seja verdade, acredita ser uma coisa muito real, porque você chora, ri e possui todo tipo de reação. Desespero, ódio e raiva são formações mentais que acontecem durante seu sonho, quando você vê coisas, ouve coisas, percebe coisas.

Mas se observarmos com profundidade, vemos que, algumas vezes, o domínio da representação e o domínio da realidade intervêm durante um sonho. Se você dorme num quarto muito quente – espero que seu quarto não seja tão quente – você pode sonhar que está indo para uma padaria. Ou se está muito frio, pode sonhar que está nadando no gelo. Então, a imagem do nadar no gelo não advém somente do domínio da mera imagem, ela também vem do domínio da realidade.

Se você dorme com alguém que, durante o sono, coloca a cabeça e a mão em cima de você, talvez sonhe que um espírito está sentado sobre você e, aí, pode tentar se libertar dele. Então, a imagem do espírito tem algo a ver com o corpo da outra pessoa. No sonho, você pode ver que está tendo uma relação sexual e talvez perca fluido seminal. Você acorda e vê que perdeu fluido seminal.

Os três domínios da percepção estão conectados. O domínio da representação nasce sobre o solo do domínio da realidade e carrega alguma substância deste consigo. O domínio da mera imagem nasce do domínio da representação e do domínio da realidade e pode, também, carregar alguma substância deles.

No domínio da mera imagem, há dois tipos de imagens: aquelas com substância e aquelas sem substância. Imagine que, no sonho, você vê aquele amigo que você conhece muito bem, falando com você. Mas, no sonho, você também vê uma pessoa que você não conhece e esta pessoa pode ser uma combinação de muitos elementos retirados daqui e dali. Imagine que você veja um elefante. O elefante que está em seu sonho é uma reprodução de um elefante, uma imagem. É muito parecido com a imagem real do elefante que você vê quando está acordado. Mas suponha que você veja um elefante que voa no céu; isto é uma combinação. Você retira algo disto, retira algo daquilo e cria em sua mente, usando a sua liberdade, sua fantasia, uma imagem do domínio das representações.

Percepção e realidade

Como um artista, um pintor, um poeta ou um arquiteto, você precisa ter muita imaginação. Você usa o domínio da realidade e o domínio da representação para criar algo que não existia antes. O que você cria depende muito de sua visualização e imaginação. Se você é um arquiteto, não desenha apenas as coisas que já foram feitas antes. Tem que imaginar novas formas de arquitetura. A consciência da mente possui capacidade de criar, não apenas obras de arte, mas também o mundo onde vivemos.

As quatro investigações reflexivas

Quando falamos sobre Paris, você cria, mentalmente, uma imagem de Paris na sua mente. Contudo, podemos olhar mais profundamente, para dentro das meras imagens e representações, para tocar a realidade dentro delas. Para fazer isto, precisamos investigar mais profundamente a respeito da natureza dos nomes que damos às coisas. Os budistas fazem uso de uma prática denominada de quatro investigações reflexivas, quatro *paryesanah*. Investigar significa não usar a função mental da criação, mas permitir que você entre em contato e tente ver as coisas como elas realmente são. Se olharmos mais a fundo, para não sermos iludidos pelos nomes dos eus e das entidades, descobriremos a natureza verdadeira dos eus e das entidades. Quando olhamos para dentro da realidade que o nome carrega, devemos ser capazes de ver a realidade como ela é e não a imagem da coisa. Praticamos para não sermos influenciados pelo nome, porque quando somos capturados por ele, não conseguimos ver a realidade.

Quando você ouve a palavra "nuvem", o som "nuvem" traz uma imagem, um símbolo, com uma forma, com uma cor e o som "nuvem" pode, também, trazer algum tipo de pensamento ou de sentimento. No ensinamento, diz-se que, quando o *bodhisattva* olha para um nome, investiga sobre o nome, ele apenas vê o nome: nome somente como nome.

Em Milindapañha, o Rei Milinda pergunta para o Monge Nagasana: "A consciência do bêbê no ventre é a mesma consciência da pessoa que morreu?"[5] A consciência de uma pessoa que morreu é chamada consciência *kushuti*. A consciência daquele que nasceu é chamada consciência *pratisamni*. Elas são a mesma consciência ou são diferentes? A pergunta sobre identidade e alteridade surge. Ele é a mesma pessoa que morreu antes ou é uma pessoa diferente? Esta é a questão colocada pelo Rei Milinda. E Nagasana falou: "Por favor, pense em você quando você tinha três meses de idade, um bebê muito jovem. Você é igual àquele bebê? Você dirá, não, sou agora muito grande, muito poderoso e muito robusto. Não sou igual. Mas você é uma pessoa diferente, sua consciência é diferente? Não, não sou uma pessoa diferente, porque sem aquele bebê não poderia ser o rei agora". Então, a resposta é que elas não são nem a mesma, nem são duas diferentes entidades. E a resposta dada pelo Buda é: "Não ser capturado pela ideia de identidade e não ser capturado pela ideia de alteridade". Você tem o mesmo nome de quando nasceu, mas só o nome permanece o mesmo. Você evolui por toda a sua vida, então, você se torna diferente. Nascimento e morte ocorrem a cada momento. Desta forma, vemos a realidade sem a natureza da identidade e da alteridade e, se nós entendemos renascimento desta forma, nós estamos alinhados ao pensamento budista.

Há uma história de uma pessoa que leva um pote de leite para seu vizinho e diz: "Por favor, guarde este leite para mim. Eu irei sair por uma hora e voltarei". Mas ela saiu por muitos dias e quando voltou, o leite havia se transformado em iogurte. Ela falou, então: "Não, não, isto não é meu. Eu pedi para você guardar meu leite, mas agora você me dá iogurte". Esta pessoa não vê a verdade. O leite e o iogurte não são a mesma coisa, mas não são entidades totalmente diferentes também.

---

[5] Cf. HORNER, I.B. *Milinda's Question*. Londres: Pali Text Society [accesstoinsight.org/tipitaka].

Percepção e realidade

A primeira investigação reflexiva: o nome

A primeira investigação é o nome ou a palavra, _nama paryesana_. Nós refletimos sobre o nome e sobre a palavra, porque eles podem evocar imagens, pensamentos e sentimentos. Cada um de nós possui um nome. Para a maioria de nós, nosso nome não mudou, mas nós mudamos muito. Então, há uma lacuna entre o nome e a realidade. Tendemos a acreditar que, porque o nome permanece o mesmo, a realidade permanece a mesma também. O nome pode ser ilusório. Quando ouvimos o nome, temos a impressão de que conhecemos a coisa.

Quando você diz "cristianismo", pensa que sabe o que é cristianismo. Você conhece o nome e pensa que também conhece a realidade do cristianismo. Ouvir o nome já traz um sentimento, uma noção, uma ideia sobre cristianismo. Temos que ser cuidadosos quando usamos um nome. A realidade que acompanha o nome pode não ser a realidade da coisa em si.

Quando ouvimos a palavra "islamismo", temos ideias, sentimentos. Porque pensamos que compreendemos o nome, acreditamos que entendemos o islamismo como uma realidade. Mas, talvez, nossas ideias sobre islamismo estejam distantes da realidade. Quando uma pessoa descreve outra para você, dizendo: "Ele é um francês", a palavra "francês" transmite uma ideia, um sentimento, de imediato. Mas é somente um nome.

Quando ouvimos a palavra "terrorista", muitos, imediatamente, pensam em alguém sem um coração ou sentimento, que é mau e que está pronto para matar. Temos a convicção de que o terrorista é uma pessoa totalmente diferente de nós; não poderia ser você. No entanto, quando olhamos para a realidade, podemos perceber que somos aquele que cria o terror dentro de nós e ao nosso redor. Mas, ainda assim, distinguimos entre o terrorista e o não terrorista e sentimos que

Corpo e mente em harmonia

pertencemos ao campo dos não terroristas. Quando investigamos para dentro da verdade, vemos a coisa diferentemente.

Um nome pode ser muito perigoso. Para tocar a natureza da realidade enquanto investigamos o mundo, precisamos ver que um nome é apenas um nome e não nos deixar iludir. Nomes e palavras possuem a forte tendência de trazer à tona sentimentos, emoções e ideias discriminatórias. Com este alerta, saberemos não ser capturados pela palavra ou pelo nome.

A segunda investigação reflexiva: o significado da palavra

A segunda investigação reflexiva é *vastuparisana*, investigar sobre o significado da palavra falada em relação aos eus e às entidades. Pai, filha, Buda, Sócrates, Saddam Hussein, Jacques, você, eu, nós somos chamados eus e cada um de nós carrega um nome.

Em 1966, eu estava caminhando com outras pessoas na Filadélfia, em uma demonstração pacífica. Um repórter chegou e perguntou: "Você é do norte ou do sul?" Norte e sul são nomes. Aquela era uma demonstração pacífica, uma expressão do desejo de ver o fim da guerra no Vietnã. Quando olhei para ele, vi que, em sua mente, havia duas alternativas de ideias e ele queria que eu escolhesse uma delas. Se falasse que era do norte, então, ele pensaria que eu deveria ser pró-comunismo e que a minha presença na demonstração era para apoiar o comunismo. Se falasse que era do sul, ele pensaria que eu era anticomunista. Como um praticante da meditação Zen, sabia quão perigoso era dar uma resposta. Era indiferente se eu respondesse norte ou sul, pois isto apenas o levaria para mais fundo em suas noções e ideias. Então, sorri e disse: sou do centro. Há uma região chamada Vietnã Central, então estava falando a verdade. Isto o deixou confuso, porque ele achou que havia apenas duas escolhas – você deve ser do

Percepção e realidade

norte ou do sul. Agora ele estava perdido. Mas justamente porque não tinha mais certeza sobre ele mesmo, teve a oportunidade de investigar a verdade.

No início da Guerra do Iraque, o Presidente Bush disse: "Ou você está conosco ou você está com os terroristas"[6]. Isto significa claramente que, se você não está conosco, você é nosso inimigo e deve, portanto, ser destruído. Isso significa que há somente terroristas e antiterroristas e, é claro, ele acredita que está do lado dos antiterroristas. Ele sente que possui a nobre missão de trazer paz e civilização ao mundo. Quando você possui tal convicção, isto dá a você muita energia. Mas sabemos que é muito perigoso ser capturado pelas palavras, ter certeza de que já sabemos como as coisas são. Estamos sempre preparados para classificar as coisas com os nomes e conceitos que já possuímos.

A terceira investigação reflexiva: designação convencional

A terceira investigação reflexiva é chamada *svabhava prajñapti paryesana*. *Prajñapti* significa "designação convencional", o que quer dizer que concordamos com os outros sobre chamarmos as coisas por certos nomes. Por exemplo, certidão de nascimento é uma designação convencional. Todos nós concordamos que uma certidão de nascimento é um pedaço de papel que certifica que uma criança nasceu em um dia específico. Mas, olhando com mais profundidade, sabemos que não há nascimento, que a criança é apenas a continuação do pai, da mãe, de seus antepassados. A criança é apenas um novo começo, um fresco início. Desta forma, "nascimento" é uma designação convencional: nós todos concordamos com isso, mas não somos capturados pela ideia de nascimento.

---

[6] BUSH, George W. In: *An Address to a Joint Session of Congress and the American People*, 20/09/2001.

Corpo e mente em harmonia

Se nós nos sentamos e praticamos meditação juntos, concordamos que a área sobre nossas cabeças é chamada de acima e a área sob nós é chamada de abaixo. Isto é muito útil. Mas, uma vez que a verdade seja considerada, não devemos ser capturados pelas noções de acima e abaixo, porque nossos amigos japoneses – que praticam zazen do outro lado do planeta – estão sentados da mesma forma que nós, eles não concordariam que nosso acima é o acima deles. Nosso acima é, na verdade, o abaixo deles, e o acima deles é o nosso abaixo.

Imagine o desenho de um palito. Chamaríamos um lado dele de esquerdo e o outro de direito. Suponha que você não goste do direito e queira se livrar dele. Então, você corta fora a parte direita, mas, quando faz isto, outra parte do palito se torna o lado direito. Mesmo que a distância entre esquerda e direita seja apenas um nanômetro, há um lado direito. Esquerda e direita não são realidades, são designações convencionais.

Se você é o filho, você não é o pai. Mas filho só existe porque pai existe. Você pensa que filho é totalmente diferente de pai, que filho pode existir alheio ao pai. Mas não é esse o caso. Um dia você terá um filho e se tornará um pai. Assim, filho e pai são meramente designações convencionais e dependem um do outro para surgir. Se você retira uma perna de um tripé as outras duas caem.

"Eus" e entidades são designações convencionais. Não são entidades reais. Não são entidades sólidas vivendo por si só. Então, tudo bem chamar o Buda de "o Buda". Chamar Osama Bin Laden de "Osama Bin Laden". Mas devemos saber que o Buda é feito apenas de elementos não Buda. A mesma coisa é verdade com George W. Bush. Se nós olharmos profundamente para dentro do ex-presidente americano teremos que ver como ele foi feito. Teremos que ver a formação geográfica, cultural e religiosa dele. Se você não viu estas coisas não viu o ex-presidente Bush, de maneira alguma. Quando

Percepção e realidade

você entende como uma pessoa é "feita", então compreende que, quando concordamos, convencionalmente, em chamar esta pessoa por um nome ou por um título, como presidente, por exemplo, isto é somente uma designação convencional.

O terceiro nível de investigação nos traz para a natureza do entre-ser. Nós podemos olhar e ver que uma flor é feita apenas de elementos não flor. Outro nome para entre-ser é interpenetração. Tudo contém todo resto; tudo penetra em todo resto. Olhando para dentro do um, você vê a presença de muitos, a presença do todo.

Nós aprendemos que o corpo humano é feito de milhões de células. Uma célula contém todas as células e carrega dentro de si a totalidade da herança genética. Tudo bem chamar a célula de célula individual, mas com a condição de que compreendamos a natureza de entre-ser dela. Em outras palavras, temos que ver a expressão "célula individual" como uma designação convencional.

O Buda também fala nossa linguagem e usa designações convencionais. Ele falou para seu discípulo Ananda, dizendo: "Ananda, você gostaria de escalar a Montanha Gridhrakuta comigo?" Ele usou as palavras "você" e "comigo" e, no entanto, não foi capturado por elas. Ele sabia que estas expressões são apenas designações convencionais. A palavra "natureza" e até mesmo a expressão "natureza do entre-ser" ou "natureza da interconexão" são designações convencionais. Nós poderíamos chamar isto de "a natureza não natureza", para não sermos capturados nem mesmo pela noção de que tudo possui a natureza de entre-ser, da interconexão. Para não sermos capturados, também, pela palavra "natureza", na chamada entidade da "natureza". Esta é a razão para o Buda ter dado um passo adiante e dizer "a natureza não natureza". Na literatura budista, há a expressão "não natureza", como a natureza de tudo. A palavra "natureza" que usamos no budismo também é uma designação convencional. Nossa mente tende a se apegar

Corpo e mente em harmonia

às coisas, por isso é importante receber ensinamentos de forma a não sermos capturados por eles.

Não há problemas em usar o nome "Buda", a palavra "natureza", a palavra "você" e a palavra "comigo", se temos o *insight* do entre-ser. Nós podemos nos designar de mãe ou pai, filho ou filha; temos que usar estas palavras. Mas quando usamos estas palavras, podemos nos lembrar de que somos o pai e, ao mesmo tempo, o filho.

A quarta investigação reflexiva: o particular

A quarta investigação reflexiva é *visheka prajñapti paryeshana*. *Visheka* significa "o particular". *Svabhava* significa universal, o símbolo geral. Tudo tem um símbolo, uma aparência. Por exemplo, quando olhamos para uma flor, vemos o símbolo geral "flor". Vemos isto no domínio da representação. Mas se continuarmos olhando, poderemos ver particulares se agrupando para permitir que a universal se manifeste.

Uma casa é uma entidade. Quando olhamos para uma casa, o símbolo universal "casa" é percebido por nós e a chamamos de casa. Mas se olharmos com mais profundidade, poderemos ver os elementos: areia, cimento, madeira, vidros, pregos e as outras coisas que foram reunidas para tornar a casa viável.

O universal é feito do particular. Podemos chamar uma pessoa de João ou José. Mas João é feito de cinco elementos: corpo, sentimentos, percepções, formações mentais e consciência. E, se continuarmos, nós poderemos ver muitos particulares que foram reunidos para tornar o símbolo do universal viável. O *bodhisattva* olha para o particular e reconhece que este particular também é uma designação convencional, não é algo separado e sólido, com existência individual. Ao olhar para os símbolos do particular de um eu ou de uma entidade, um *bodhisattva* não é enganado por seus símbolos. Ele percebe que não é uma designação convencional apenas em seu símbolo universal, mas também em seus símbolos particulares. Esta prática serve para nos libertar do apego aos nomes, aos eus e às entidades, ajudando-nos a tocar a natureza do *paratantra*, das coisas tal como elas são e do entre-ser, de tal forma que podemos ver a natureza *nishpana*.

O não dualismo dá ascensão à não violência

Alguns neurocientistas tendem a explicar as coisas em termos de monismo e veem tudo como partes interconectadas de uma realidade. Outros tendem a explicar em termos de dualismo. Uma pergunta é frequentemente feita: "O cérebro e a mente são uma coisa ou são duas coisas separadas?" Alguns acreditam que são duas coisas separadas e, baseados nesta visão dualista, perguntam: "Como podem cálculos neurais objetivos ser transformados em consciência subjetiva?" Há aqueles que acreditam que mente e cérebro constituem uma só coisa. O ensinamento budista nos guia para olhar para as coisas como não iguais e não diferentes, ao mesmo tempo. Esta forma de enxergar as coisas é algo que pode ser vivenciado. Quando nosso pai nasceu ele era muito pequeno. Enquanto ele crescia, se tornou maior e mudou de muitas formas. Ele não tem sido a mesma pessoa ao longo da vida, mas, também, não é duas pessoas diferentes. Então, olhando profundamente para dentro da realidade, vemos a verdade do "nem igual, nem diferente". Você é filha dele e faz a pergunta: "Eu sou uma com meu pai ou sou uma pessoa totalmente diferente?" O ensinamento é claro: você nem é a mesma pessoa, nem uma pessoa diferente de seu pai; você é uma continuação. Então, o pensamento dualista é enganador e pode encorajar uma crença de que bem e mal são inimigos e de que o bem precisa sempre estar lutando contra o mal. Este tipo de teologia causa muito sofrimento e destruição.

Corpo e mente em harmonia

No ensinamento budista, a ira possui natureza orgânica. O amor também possui natureza orgânica. Sofrimento e felicidade também são orgânicos e eles entre-são. É como lixo e flores. Um bom jardineiro não vê o lixo como seu inimigo, porque possui clara percepção do entre-ser. Ele sabe que pode usar o lixo para fazer um composto que enriqueça o solo; assim, o lixo pode ser transformado em flores. Ele não possui uma visão dualista; por esta razão fica em paz com a flor e com o lixo. Ele sabe que sem o lixo não terá flores bonitas.

Quando sabemos que nosso sofrimento, nosso ódio e nosso medo são orgânicos, não tentamos fugir deles. Sabemos que, se praticarmos, nós podemos transformá-los e eles podem nutrir nossa felicidade e nosso bem-estar. A meditação se baseia no *insight* da não dualidade, a não dualidade entre bem e mal e entre sofrimento e felicidade. Assim, o método para lidar com nosso sofrimento sempre é não violento. Quando você aceita a natureza não dualista da realidade, seus modos se tornam não violentos. Você não sente mais necessidade de lutar contra sua ira ou seu medo, porque vê que sua ira e seu medo são você. Então, tenta lidar com eles de maneira mais suave. Não há mais luta. Há apenas a prática de transformar e cuidar. Ira e medo devem ser cuidados para que o melhor dê chance a estes sentimentos, para que possam se transformar em amor e compaixão. Desta forma, o fundamento não dualista da meditação faz emergir uma forma não violenta de prática. Você lida com seu corpo e seus sentimentos da forma mais não violenta possível. Se você é capturado pela visão dualista, irá sofrer; ficará bravo com seu corpo e com seus sentimentos. Você está tentando fugir, procura algo que consiga mantê-lo afastado de entrar em contato com o sofrimento no seu corpo e nas suas emoções. Mas, como nós já aprendemos, a felicidade não pode existir sem o sofrimento, a esquerda não pode existir sem a direita – sem isto, aquilo não pode existir.

Percepção e realidade

Falar que ou você está conosco ou você está com os terroristas mostra que você está profundamente apegado à visão dualista. É como dizer: "Se você não é cristão, você está contra Cristo". Isto não soa como teologia. Falar "Se você não está com o Buda, você está contra o Buda" também não é correto. No ensinamento e na prática do budismo, sempre somos lembrados de que o Buda era um ser vivo. Se você remove o ser vivo do Buda, ele não é mais o Buda. A essência deste ensinamento existe em todas as tradições.

"Ou você está conosco ou você está com os terroristas" não é política boa. Não é boa diplomacia também. Porque os governos que não possuem a mesma visão não gostam de ouvir isto. Você se afasta de seus aliados quando diz: "Se você não está conosco, está com os terroristas". Ninguém gosta de estar com os terroristas.

Vivemos num tempo em que meditação deixou de ser somente uma prática individual. Nós temos que praticar como uma comunidade, como uma nação, como um planeta. Se realmente queremos que a paz seja possível de acontecer, então devemos tentar olhar para a realidade de forma a ver que não existe separação. É muito importante nos treinarmos a olhar de uma forma não dualista. Sabemos, pela nossa própria experiência, que se a outra pessoa não está feliz, é muito difícil para nós sermos felizes. A outra pessoa pode ser sua filha, seu parceiro, amigo, mãe, seu filho, seu pai ou seu vizinho. A outra pessoa pode ser da comunidade cristã, da comunidade judaica, da comunidade budista ou da comunidade islâmica. Porque sabemos que segurança e paz não são questões individuais, iremos naturalmente agir em prol do bem comum. Qualquer coisa que fizermos para ajudar nossos amigos, nossos vizinhos e outros países, para que eles se tornem mais seguros e mais respeitados, irá nos beneficiar também. De outra forma, somos capturados por nossa ignorância. A nossa visão dualista nos faz agir de uma forma que continuará nos destruindo e destruindo o mundo.

Corpo e mente em harmonia

As duas flores violetas

Nós todos sabemos que as maravilhas do mundo estão sempre lá – o céu azul, a nuvem branca, o rio bonito, a chuva, as flores, os pássaros, as árvores, as crianças. Ontem, durante a meditação em caminhada, eu vi duas flores violetas na grama. Elas eram tão bonitas, pequenas, muito bem manifestas e eu peguei uma e peguei a outra, e as ofereci aos dois veneráveis que vieram do Vietnã. Eu falei para eles: "Estas flores são encontradas somente na Terra Pura" e tenho certeza de que os veneráveis entenderam a mensagem. Porque se somos atenciosos, se podemos tocar as maravilhas da vida com profundidade, então a Terra Pura, o Reino de Deus, fica disponível para nós. A Terra Pura sempre está aberta para nós. A questão que permanece é: nós estamos abertos para a Terra Pura? Não parece difícil nos disponibilizarmos para a Terra Pura. Torne-se atento ao olhar, ao tocar, ao tocar a terra com seus pés. Nós conseguiremos permanecer na Terra Pura vinte e quatro horas por dia, desde que mantenhamos o estado de plena atenção conosco. Há uma tendência em acreditar que esta terra está repleta de miséria, sofrimento e queremos ir para um lugar onde não haja sofrimento.

Minha definição de Terra Pura ou Reino de Deus não é a de um lugar onde não existe sofrimento, porque sofrimento e felicidade entre-são. Precisamos de sofrimento para reconhecer felicidade. Olhando com mais profundidade, sabemos que a felicidade não é possível quando não possuímos compreensão e compaixão dentro de nós. Uma pessoa feliz é uma pessoa que possui muita compreensão e compaixão. Sem compaixão e compreensão você não pode se relacionar com as pessoas, você fica totalmente isolado. Por favor, observe e olhe ao seu redor e você verá isto muito bem: a pessoa que está cheia de compreensão e compaixão, esta pessoa não sofre, ela é feliz. Para ser realmente feliz precisamos cultivar compreensão e compaixão.

Percepção e realidade

Mas se o sofrimento não está lá, é impossível cultivar compreensão e compaixão. É justamente por entrar em contato com o sofrimento que a compreensão e a compaixão surgem. Imagine um lugar onde não haja sofrimento. Nossas crianças não teriam a chance de desenvolver compreensão, de aprender a ser compassivas lá.

É entrando em contato com o sofrimento que uma pessoa aprende a compreender e a se tornar compassiva. Se no Reino de Deus não houver sofrimento, não haverá compreensão nem compaixão e, sem isto, você não pode chamar o lugar de Reino de Deus ou Terra Pura do Buda. Isto é algo muito claro, muito simples. Assim, minha definição de Terra Pura do Buda, de Reino de Deus, é a seguinte: um lugar onde há muitas oportunidades para você aprender a ser compreensivo e compassivo. Quando você tem bastante compreensão e compaixão, não tem mais medo do sofrimento. É como quando você é um bom jardineiro, não tem mais medo do lixo, porque sabe como transformar o lixo. Esta é a forma não dualista de ver as coisas. As pequenas flores que eu peguei ontem e ofereci aos veneráveis do Vietnã são maravilhas. Se não formos atenciosos, não poderemos entrar em contato com elas. As maravilhas da vida estão lá, no momento presente, dentro de nós e ao nosso redor. Nosso cérebro é uma maravilha. Nossos olhos são maravilhas. Nosso coração é uma maravilha. Cada célula de nosso corpo é uma maravilha. E tudo ao nosso redor é uma maravilha. Todas estas coisas pertencem ao Reino de Deus, à Terra Pura do Buda. Mas nós vivemos ignorando a presença das maravilhas. Somos capturados por nossas preocupações, nosso desespero, nosso ciúme, nosso medo, e perdemos o Reino, perdemos a Terra Pura.

6

Oportunidade para livre-arbítrio

Quando caminhamos, não temos que dar uma ordem para nosso pé esquerdo realizar um passo; você, também, não ordena seu pé direito para completar o passo. Não é assim. Você apenas caminha naturalmente, espontaneamente, e, se a plena atenção interfere, é sempre um pouco depois. Esta é a razão para a pergunta: A nossa consciência da mente é apenas uma marionete de nossa consciência armazém? Se a nossa consciência da mente é apenas uma marionete, isto significaria que decisões são tomadas no nível da consciência armazém, onde sempre há processamento implícito e aprendizagem implícita acontecendo. Possuímos livre-arbítrio ou não?

O livre-arbítrio é possível, desde que você pratique o estado de plena atenção. Você usa a plena atenção e concentração para ter *insight*. E com este *insight* pode tomar decisões baseadas na verdade das coisas tal como elas são. Você não é somente uma marionete da consciência armazém. Você possui a sua soberania, mas temos que usar a soberania para regar as sementes positivas na consciência armazém. Nosso futuro depende inteiramente do valor de nossa consciência armazém.

Carma: nossos pensamentos, falas e ações corporais

No budismo, falamos da consciência armazém também como consciência da retribuição, *vipaka* na língua sânscrito. *Vipaka* significa amadurecimento da fruta. Por exemplo, a natureza da fruta, como uma ameixa, é o processo de mudança e amadurecimento. No

Corpo e mente em harmonia

início, ela é pequena, verde e azeda. Mas se for dada oportunidade a ela para crescer, torna-se grande, vermelha e doce e, ainda, carrega uma semente.

Há uma tendência a imaginar que somos uma entidade que está se movendo pelo espaço e pelo tempo em direção ao futuro. Acreditamos que, neste exato momento, somos nós mesmos e que, quando chegarmos a um ponto no futuro, ainda seremos nós mesmos. Mas isto não corresponde à realidade, porque estamos mudando a todo tempo. O Rio Mississipi possui um nome. O nome Rio Mississipi permanece o mesmo, mas o rio está sempre mudando, a água dentro dele está sempre mudando. Um ser humano também é assim. Quando nascemos, nós éramos um bebê muito pequeno, de menos de cinco quilos, mas agora, como adulto, somos diferentes em todos os aspectos.

O ser humano é como uma nuvem. Quando nós nos visualizamos como uma nuvem, temos a oportunidade de olhar, de investigar com profundidade dentro da natureza da nuvem. Podemos visualizar como a nuvem se formou e como uma nuvem se manifesta. A palavra "nuvem" pode trazer consigo a ideia desta ou daquela nuvem. Esta nuvem não é aquela nuvem. E a nuvem não é um vento. A nuvem não é o raio de sol. A nuvem não é água.

Suponha que parte da nuvem tenha se tornado chuva. A nuvem lá em cima pode olhar para baixo e se reconhecer como uma corrente de água. Isto é possível. Quando vemos nós mesmos como uma nuvem, podemos olhar em volta e ver que inter-somos com outras nuvens. Outras nuvens irão se juntar a nós e nos tornaremos uma nuvem maior. Começamos a ver mais da realidade da nuvem; começamos a ver mais da realidade do eu. Uma nuvem pode olhar para baixo e ver que parte dela seguiu em outra manifestação. Uma nuvem pode sorrir para si própria sob a forma de corrente de água na superfície da terra.

Oportunidade para livre-arbítrio

A cada momento de nossa vida, recebemos recursos do meio ambiente. Recebemos o ar, a comida, a imagem, o som e as energias coletivas. A cada minuto de nossa vida diária, há uma entrada de recursos. A cada dia ingerimos nutrientes sob a forma de alimento comestível, sob a forma de impressões sensoriais, de pensamento, de educação, de consciência coletiva. E, ao mesmo tempo, nós colocamos no mundo nossa energia sob a forma de pensamento, de fala, de ação. A cada momento da sua vida diária, você produz pensamento, fala, ações.

O filósofo francês Jean-Paul Satre disse: "Somos a soma de nossas ações". Carma significa ação e pode se expressar sob a forma de pensamento, de fala e de ação corporal. Produzimos carma o tempo todo e todo ele segue em direção ao futuro. Esta é razão para, em nossa prática, devermos nos treinar a nos ver em nossas ações e não somente neste corpo. Claro, a ação do corpo, a fala e a mente também influenciam nosso corpo e nossos sentimentos. Quando uma nuvem olha para baixo, ela se reconhece como uma corrente de água. Quando nós olhamos para baixo, podemos ver que seguimos para o futuro. Podemos nos reconhecer em muitos lugares.

Você não pode dizer que este corpo se desintegra e que você não está mais lá quando isto acontece. Você continua de muitas formas. Quando uma nuvem se torna chuva, a chuva pode ser vista como incontáveis gotas de água. Mas, quando elas alcançam a terra, elas podem se juntar novamente e formar uma corrente de água, ou elas se tornam duas ou três correntes; de qualquer forma, isto é continuação.

Carma triplo

O carma possui três variações: pensamento, fala e ação corporal. É muito pouco científico dizer que, depois da decomposição do corpo, nada resta. Antoine Laurent Lavoisier, um químico do século XVIII,

Corpo e mente em harmonia

disse: "Nada nasce, nada pode morrer". O que irá acontecer depois que seu corpo se desintegrar? A resposta é que você continua por meio de seus pensamentos, suas palavras e suas ações físicas. Se você quer saber como será no futuro, apenas olhe para estas ações triplas e saberá. Você não precisa morrer para começar a ver isto – pode ver isto agora – porque, a cada momento, você produz a si próprio, está produzindo a continuação de si próprio. Cada pensamento, cada palavra, cada ato carrega sua assinatura – você não tem como escapar. Se você produz algo que não é tão bonito, você não pode voltar atrás – o que você fez já saiu em direção ao futuro e começou a produzir uma cadeia de ações e reações. Mas você sempre pode produzir algo diferente, algo positivo, e esta sua nova ação, sob a forma de pensamento, palavra ou ação, irá modificar a ação negativa prévia.

Quando nos voltamos para nós mesmos e sabemos o que está acontecendo, nós temos o poder de moldar nossa continuação. Este fato, o poder de moldar nossa continuação, está no aqui e agora. Nossa continuação não será algo no futuro. Nossa continuação acontece no aqui e agora. Esta é a razão para você ainda possuir soberania para determinar seu futuro. Se você fez algo bom, você está satisfeito, e diz: "Posso continuar a produzir mais pensamentos, mais discursos, mais ações do mesmo tipo. Porque eu estou assegurando um bom futuro para mim e para meus filhos". Se, por acaso, você produziu algo negativo, você sabe que é capaz de produzir coisas da natureza oposta com o intuito de corrigir este algo, de transformar este algo. O livre-arbítrio é possível no aqui e agora.

Imagine que ontem eu tenha dito algo não muito bom para meu irmão mais novo. Isto é algo já feito. Criou prejuízo dentro de mim e dentro dele. Hoje eu acordo e percebo que eu produzi um carma, uma ação que foi destrutiva. Agora eu desejo retificar esta ação. Estou determinado a, quando encontrar com ele, hoje, falar algo diferente.

Oportunidade para livre-arbítrio

A partir de meu *insight*, da minha compaixão, de meu amor, eu pronuncio uma sentença. Esta sentença é produzida agora, não ontem, mas irá tocar a sentença que eu disse ontem e a transformar e corrigir. De repente, eu sinto a cura aparecer dentro de mim, e dentro de meu irmão ou do meu colega de trabalho, porque este segundo ato também carrega minha assinatura.

Imagine que pela manhã uma pessoa, muito impaciente, grita com seu filho. Isto é um erro, uma ação negativa. Imagine que, à noite, esta mesma pessoa faça algo muito bom, como salvar um cachorro de ser atropelado por um carro. Esta é uma ação muito boa. Cada ação é uma semente plantada na consciência armazém. Nenhuma ação, nenhum pensamento, nenhuma palavra é perdida. Então, para onde esta pessoa está indo, se combinarmos a ação um com a ação dois?

Para saber para onde você está indo, em que direção, apenas olhe para o valor das sementes em sua consciência armazém e você saberá seu caminho. Tudo depende de seu carma, de seus atos, em pensamento, fala e ação. Você decide, pois ninguém mais decide seu futuro. Isto é *vipaka*.

Cada vez que você produz um pensamento, isto é uma ação. O Buda propôs que praticássemos o pensamento correto, o pensamento que segue em direção da não discriminação, da compaixão, da compreensão. Nós sabemos que somos capazes de produzir tais pensamentos, um pensamento de compaixão, um pensamento de não discriminação. Cada vez que produzirmos um pensamento assim, isto terá um efeito positivo em nosso corpo e em nosso mundo. Um bom pensamento possui o efeito de curar seu corpo, sua mente e o mundo. Isto é uma ação. Se você produz um pensamento de ira, de ódio e de desespero, isto não é bom para sua saúde ou para saúde do mundo. A atenção possui um papel muito importante. Dependendo do tipo de ambiente em que você vive e em que presta atenção, você possui

Corpo e mente em harmonia

mais ou menos oportunidade de produzir bons pensamentos e ir para a direção do pensamento correto.

Cada pensamento que você produz carrega sua assinatura. Você não pode dizer que o pensamento não é você. Você é responsável por aquele pensamento e aquele pensamento é a sua continuação. Seu pensamento é a essência do seu ser e da sua vida e, uma vez produzido, continua e jamais pode ser perdido. Nós podemos imaginar o nosso pensamento como um tipo de energia que produz uma cadeia de reação no mundo. Esta é a razão para ser bom tomarmos cuidado e produzir muitos bons pensamentos todo dia. Sabemos que, se desejamos, podemos produzir pensamentos de compaixão, compreensão, fraternidade e não discriminação, e que cada um deles carrega nossa assinatura, eles são nós, eles são nosso futuro, jamais podem se perder. Está muito claro que pensamentos de compaixão, fraternidade, compreensão e amor têm poder de curar: nosso corpo, nossa mente e o mundo. Livre-arbítrio é possível, porque você sabe que pode produzir um pensamento assim, com a ajuda do Buda, com a ajuda de seu irmão, sua irmã na comunidade, com a ajuda do Darma que você aprendeu.

O que você diz também carrega a sua assinatura e é seu carma. Sua fala pode expressar compreensão, amor, perdão. Assim que você usa a fala correta, ela possui um efeito de cura. A fala correta possui o poder de cura e transformação, e pode ser usada a qualquer momento. Você possui a semente da compaixão, compreensão e perdão dentro de você. Deixe que elas se manifestem. Você pode parar de ler agora e chamar alguém e, usando a fala correta, expressar compaixão, empatia, amor e perdão. O que você está esperando? Isto é uma ação real. Reconciliação pode ser conseguida imediatamente com a prática da fala amorosa. A fala correta se dirige para o perdão, para compreensão e compaixão. Pegue o telefone e faça isto. Depois de fazer isto, você se sentirá muito melhor e a reconciliação acontecerá logo. Os

Oportunidade para livre-arbítrio

pensamentos que você produziu e as palavras que você falou sempre irão existir como sua continuação.

O que você pode fazer para abrandar o sofrimento? Que tipo de ação pode ser tomada todo dia para expressar compaixão? Atos físicos compõem o terceiro aspecto da sua continuação. Nós sabemos que somos capazes de fazer coisas para proteger as pessoas, os animais, o ambiente. Podemos fazer algo para salvar um ser vivo hoje. Pode ser algo pequeno, como abrir uma janela para deixar um inseto voar para fora. Ou pode ser algo grande, como alimentar ou vestir alguém que precise de ajuda. A cada dia, estamos em controle de nosso carma, de maneiras mais ou menos significativas e, ainda assim, muito frequentemente, nós sentimos como se não houvesse livre-arbítrio ou controle.

Não nascimento e não morte

Você é responsável pelos três atos (que são: o que você pensa, fala e faz) que você produz a cada minuto da vida. O exemplo da onda pode ser útil. Você vê a manifestação da onda – uma jovem pessoa com muita energia, muita esperança, muita ambição, e esta onda de juventude está crescendo e crescendo. Quando você chega à crista da onda, começa a descer. Quando você desce, você também produz uma força. Esta é uma força de dois tipos. A força um é a energia do carma, a força dois é a energia da avidez. Quando você desce como uma onda, você produz as duas forças, a força um e a força dois. A energia é muito dinâmica, é o fundamento para a sua manifestação sob esta forma e da manifestação do ambiente sob a forma presente.

Olhando para o nível do mar, você pode pensar que o surgimento da onda é o começo, ou seja, o nascimento da onda, e que o desaparecimento é o final, a morte da onda. Mas se nós consideramos as duas forças, sabemos que esta energia não nasce do nada. Deve haver uma

Corpo e mente em harmonia

força que empurra a onda para cima, a partir do mar uniforme, fazendo com que ela surja. E se há uma força antes do chamado nascimento da onda, isto significa que você já existia por lá no passado. Você é a continuação de outra onda do passado, porque deve ter havido uma onda antes que tem empurrado você muito fortemente e que é a razão para você ter nascido aqui. Então, o surgimento da onda não é realmente o nascimento da onda, é o dia continuado dela. Quando a onda se dissipa, ela não morre. Nada é perdido.

Nossa compreensão de continuação, no entanto, não contradiz o ensinamento básico do budismo sobre impermanência. Se você acredita que há uma alma que permanece igual para sempre e sempre, que deixa o corpo e entra em outro corpo através do tempo e do espaço, você é capturado pela ideia de um eu permanente. O Buda confirmou que nada é perdido, nada pode ser aniquilado, mas ele também falou que nada pode permanecer o mesmo para sempre.

Quando investigamos mais sobre as palavras "nascimento" e "morte", acreditamos que há uma realidade de nascimento sob a aparência desta palavra e uma realidade de morte sob a aparência desta outra palavra. Mas se nos libertamos da palavra "nascimento", nós temos a oportunidade de investigar sobre a realidade do nascimento. Em nossa mente, tendemos a pensar que nascer realmente significa que, do nada, você, de repente, tornou-se algo e de ninguém, repentinamente, tornou-se alguém. Esta é a nossa noção usual de nascimento. Você não existia e, de repente, você existe.

Pense numa folha de papel, digamos esta, em que as palavras estão escritas. A folha de papel supostamente deve ter tido um nascimento como nós – o dia em que adquiriu esta forma na fábrica de papel. Mas papel é uma palavra, é um nome, e a folha de papel que eu seguro em minhas mãos é uma realidade. Antes desta folha de papel ter tomado esta forma, ela já era algo. Muitas coisas tiveram que se unir para ajudar

Oportunidade para livre-arbítrio

esta folha de papel a tomar esta forma. Nós podemos ver as árvores, a floresta. Podemos ver os raios de sol sobre as árvores. Podemos ver a chuva sobre as árvores. Podemos ver a massa a partir da qual o papel foi feito. Podemos ver o trabalhador na fábrica. Você não pode dizer que este papel veio do nada. Olhando mais profundamente, você vê que a folha de papel nunca nasceu. O momento que chamamos de seu nascimento é somente um momento de continuação. Antes disto, já havia algo.

Então ninguém irá morrer, apenas porque ninguém realmente nasceu. O momento de nossa concepção no ventre de nossa mãe não é o momento em que começamos a existir. Nós não viemos do nada. Nós somos continuação. Da mesma forma que a corrente de água na terra é uma continuação da nuvem no céu. A corrente de água não nasceu. É apenas a continuação da nuvem.

Quando ouvimos a palavra "morte", muitos de nós ficamos com medo porque pensamos que morte significa aniquilação do eu. Morte significa que, a partir de algo, você se torna nada, a partir de alguém, você se torna ninguém. Mas nós somos como a nuvem e é impossível uma nuvem morrer. Uma nuvem pode se tornar chuva ou neve ou, ainda, gelo ou água. Mas é impossível uma nuvem se tornar nada.

Em nossa mente, nascer significa que, a partir do nada, repentinamente, você se torna algo, a partir de ninguém, de repente, você se torna alguém. Esta é a nossa definição de nascimento. Mas olhando mais profundamente, não vemos mais nada desta forma. Uma nuvem não surgiu do nada. Uma nuvem surgiu do lago, do rio, do oceano, do calor. Quando uma nuvem morre, você diz que a nuvem "morre", você pensa que isto significa que, de algo, de repente, você se torna nada, de alguém, de repente, você se torna ninguém. Mas se você olhar com mais profundidade, verá que é impossível uma nuvem morrer. É possível a nuvem se tornar chuva ou neve ou gelo, mas você não tem o poder de matar uma nuvem, de transformar a nuvem em nada.

Corpo e mente em harmonia

A natureza da nuvem é não nascimento, não morte. A nuvem irá continuar sob outras formas. Não é verdade que uma nuvem pode se tornar nada. Então, quando você segura uma xícara de chá e bebe, em estado de plena atenção, reconhece que a nuvem que você contemplou ontem no céu – sua bela nuvem – está agora em sua xícara e você está bebendo a sua nuvem. Está tocando a natureza do não nascimento e da não morte da nuvem.

Se alguém que você ama acaba de morrer e você sofrer muito pesar, por favor, use o *insight* do Buda. Seu amado não pode morrer. Se você usar concentração, reconhecerá seu amado, reconhecerá sua amada, sob outras formas. Se você não vê sua amada nuvem no céu, você chora. Mas sua amada nuvem se tornou chuva caindo, alegremente, no solo e, sussurrando, disse para você: "Querido, querido, você não me vê? Estou aqui". Reconheça a amada nuvem sob sua nova forma, a chuva.

Quando você toca um sino, uma vibração viaja pelo ar para chegar até você. Não pense que o som do sino migrou de um lugar para outro. Há um efeito em termos de carma, uma continuação. Tudo que você pensa, tudo que você fala, tudo que você faz, já começou a continuar você; não é uma transferência de algo de lá para cá. É possível tornar a continuação feliz, agradável. Em nosso aniversário, podemos falar: "Feliz Dia da Continuação", em vez de feliz aniversário, porque todo dia é dia de continuação. Por meio da plena atenção podemos nos certificar de que nossa continuação é boa e bela.

Impermanência momento a momento e impermanência cíclica

Continuação não deve ser confundida com permanência. Ainda que as ondas continuem sob outras formas, cada onda está lá apenas por um instante e vai embora em seguida.

Oportunidade para livre-arbítrio

A impermanência pode ser compreendida de dois modos. A primeira é a impermanência a cada momento, também denominada de "impermanência momento a momento". Temos que ver nascimento e morte a cada momento. A outra forma de impermanência é a "impermanência cíclica". Vemos desintegração do corpo todos os dias. Mas, abaixo da impermanência, há continuação. Ao olhar para a onda como um todo você vê a impermanência cíclica.

Retornando à natureza cinematográfica da consciência, quando você assiste a um filme, você vê o começo e o final do filme, e a impermanência cíclica. O filme já não está lá, você vê as palavras "The End". Mas o filme também é feito de momentos separados, imagens que se sucedem umas às outras e que transmitem a impressão de que o filme é uma entidade (uma unidade), um eu. Podemos ver ambas, a impermanência cíclica e a impermanência momento a momento.

Carma, *vipaka*, pode também ser compreendido de dois modos: *vipaka* cíclico e *vipaka* momento a momento. A retribuição cíclica toma nossa vida como um todo e vê que a próxima vida será uma retribuição desta vida. Isto é amadurecimento cíclico. Mas *vipaka* também ocorre a cada momento. Este momento é o amadurecimento do momento que veio antes. O que eu ensinei há um minuto produziu um impacto em mim e em você, neste momento. É como uma vela que, neste exato momento, está oferecendo luz, calor, aroma. A luz emitida pela vela ilumina o mundo exterior, ao redor, mas também ilumina a própria vela. A luz da vela brilha sobre ela mesma e sobre outras coisas.

De maneira similar, oferecemos pensamentos, palavras e ações a cada momento. O que nós pensamos, o que falamos ou o que fazemos possui um efeito sobre o mundo e sobre nós. O mundo também é composto por nós; saímos para o mundo afora no exato momento em que falamos. Nós estamos nos projetando para o mundo o tempo todo e não estamos somente aqui, estamos também ali.

Corpo e mente em harmonia

Qualquer coisa que você pense, fale ou venha a fazer terá um efeito ao seu redor e dentro de você. Você não está somente dentro, você também está fora de seu corpo. Um praticante de meditação vê a si não somente em seu corpo, mas também fora de seu corpo. Você consegue se ver fora de seu corpo? Se sim, você já possui *insight*. Você não é apenas continuado dentro, mas também fora. A energia tripla do carma está produzindo um efeito no aqui e agora.

No momento em que você produz um pensamento, este pensamento, imediatamente, gera um efeito sobre você. No momento em que você produz um pensamento de compaixão, de bondade amorosa, cada célula em seu corpo recebe esta energia maravilhosa. Por outro lado, se é um pensamento de ódio ou de desespero que você produz, imediatamente, gerará um efeito ruim sobre cada célula de seu corpo e sobre sua consciência. Suponha que você assine um cheque sem fundos em sua conta bancária. Você não vê o efeito agora, mas talvez em uma ou duas semanas verá claramente. Ou se um membro do ministério do governo americano assina algo ou faz algo ilegal, talvez ele consiga manter seu lugar e continuar por alguns anos. Mas depois, quando sua corrupção for descoberta, ele pode ser condenado à prisão. Então, fazemos coisas que vão surtir efeito somente muito tempo depois. Nós distinguimos dois tipos de ação: ações que voltam para nós muito rapidamente, no aqui e agora, e ações que voltarão para nós um pouco depois.

Há um verso de poesia vietnamita que diz assim: "Os elementos não corporais que são exteriores ao corpo são também o corpo, os elementos não eu que você pensa que estão fora do eu são você mesmo". Você tem que ver sua filha como você mesmo, tem que ver seu filho como você mesmo, tem que ver o que você construiu e o que destruiu como você mesmo, porque todos eles são frutos de seus atos, dos três atos. Esta é a forma como devemos aprender a olhar para nós mesmos. Quando

Oportunidade para livre-arbítrio

você consegue ver sua continuação para além do seu corpo, começa a ver a si mesmo. O que você denomina de elementos não eu exteriores a você são, na verdade, você mesmo. Você quer ter certeza de que sua continuação será bela. Isto é algo possível. Se você for capaz de ver a cadeia de reações de todas estas energias se unindo, não dirá que não sobrará nada depois deste ponto. Porque nós sabemos muito bem que nada pode ser perdido. Tudo irá continuar.

Quando nós conseguimos ver o que está acontecendo no momento atual, nós também somos capazes de saber o que acontece no momento que chamamos de morte. Há uma continuação, é claro, mas a continuação não precisa esperar até o momento da morte para ser vista. A continuação está acontecendo neste exato aqui e agora. Nós renascemos a cada momento.

Consciência da mente e livre-arbítrio

Quando a consciência da mente funciona isoladamente, ela pode estar em concentração ou em estado de dispersão. Dispersão é quando você se permite ser levado para longe pelas emoções. Quando sentimos que estamos fora do controle de nossas vidas, como se não tivéssemos nenhuma soberania, isto é a consciência da mente em estado de dispersão. Você pensa, fala e faz coisas que não pode controlar. Nós não desejamos ficar repletos de ódio, de ira e de discriminação, mas algumas vezes a energia habitual parece tão forte que não sabemos como mudá-la. Não há bondade amorosa, compreensão ou compaixão em seu pensamento, porque você está sendo menos do que o seu melhor eu. Como o pai que gritou com o filho pela manhã, você fala coisas e faz coisas que não falaria ou faria se estivesse concentrado. Você perderia a sua soberania.

Quando olhamos mais profundamente, podemos já nos imaginar numa situação na qual nós nos controlamos melhor. Desta forma, nós

Corpo e mente em harmonia

não somos apenas vítimas de nossas energias habituais. A concentração nos fornece mais liberdade para as escolhas que desejamos, ela nos traz possibilidade para um pouco de livre-arbítrio.

Quando a nossa energia está em dispersão e nós ficamos facilmente irados, podemos saber, intelectualmente, que nossa ira não nos ajuda, mas não sentimos que somos capazes de parar. Então, a questão do livre-arbítrio não é apenas intelectual. Algumas vezes, as pessoas pensam que nossos sentimentos se constituem apenas da química que é liberada em nossos cérebros. Você fica com raiva ou fica violento por consequência de alguma substância química liberada em seu cérebro. Mas nossas formas de pensamento e ação produzem estas substâncias químicas. E a forma como são liberadas, a mais ou a menos, depende muito da forma como vivemos.

Se soubermos comer em estado de plena atenção, comer apropriadamente, pensar apropriadamente, viver nossa vida diária de maneira balanceada, então a liberação destas substâncias químicas apenas trará bem-estar. Por outro lado, se vivemos uma vida perturbada por ira, medo e ódio, então sabemos que, na base de nosso conhecimento, os neurônios e as substâncias químicas que eles liberam serão afetados e haverá desbalanceamento no cérebro e em nossa consciência. Nós podemos usar nossa sabedoria, nosso olhar mais profundo, para determinar como estes elementos funcionam. Você não pode afirmar que estes elementos não sejam mente; eles são a nossa mente.

No budismo, dizemos que este corpo *é* a sua consciência. Nós usamos a expressão em sânscrito *namarupa*. *Nama* significa mente. *Rupa* significa corpo. Eles não são duas entidades distintas, mas uma manifestação dupla da mesma substância.

Nós sabemos que todos possuem energias habituais negativas que nos levam a pensar, falar e fazer coisas que, intelectualmente, sabemos que trarão prejuízo. E mesmo assim fazemos estas coisas.

Oportunidade para livre-arbítrio

Mesmo assim, falamos estas coisas. Mesmo assim, pensamos estas coisas. Isto é a energia habitual. Quando a energia habitual aparece e está prestes a pressionar você a pensar, sentir ou fazer algo, você tem oportunidade de praticar a plena atenção. "Olá, você aí, minha energia habitual, eu sei que você está surgindo". Isto já pode fazer alguma diferença. Você sabe que não quer ser vítima de sua energia habitual e a intervenção da plena atenção pode mudar este cenário.

A segunda coisa que a consciência da mente pode fazer é aprender hábitos positivos. Você pode treinar para que, toda vez que ouvir um sino, pare. Você para seu pensamento, para as coisas que está fazendo, recebe o apoio dos outros membros da comunidade para fazer isto. Em poucas semanas, isto se torna um hábito. Quando você ouve um sino, naturalmente, para de pensar e aprecia a inspiração e a expiração. Este é um hábito positivo. O fato de podermos criar e cultivar uma energia habitual positiva prova que o livre-arbítrio é possível. A soberania de uma pessoa é possível até certa medida. A consciência armazém e a energia habitual nela são fundamentos para os nossos pensamentos, ações e falas do dia a dia. Você pensa, fala e faz coisas com a consciência armazém por trás de você, ditando seu comportamento. A qualidade das sementes na sua consciência armazém é muito importante para isto. Você possui um tanto de sabedoria e de compaixão dentro de si e também tem algum tanto de ira e um tanto de discriminação dentro de si. Junto com nossa educação, com nossa prática, podemos reconhecer que há um mecanismo operando no nível inconsciente, que faz você andar, sentar, levantar, pensar, falar e fazer coisas.

Quando a consciência da mente começa a funcionar, a energia da plena atenção pode ser gerada e, repentinamente, você é capaz de estar atento ao que está acontecendo. A intenção de andar, a intenção de dar um passo, pode se originar no nível metabólico. Mas é possível estar atento a esta intenção. "Inspire, eu sei que tenho a intenção de

Corpo e mente em harmonia

inspirar", mesmo antes de fazer isto. Assim, com a intervenção da plena atenção, o cenário muda. Mesmo que a intenção tenha começado, a plena atenção pode, ainda, alterar o curso dela e não por meio de luta. A plena atenção possibilita que outras sementes em nós se manifestem, no caso, sementes positivas. Possuímos aliados lá embaixo na consciência armazém.

A plena atenção é aquela que convida. A plena atenção é o jardineiro que acredita na capacidade que o solo possui de fornecer flores e frutas. Algumas vezes, a plena atenção pode fazer o papel de iniciadora. Imagine que você está atento ao fato de a sua amada estar sentada na sua frente. Inspire, eu sei que minha amada está sentada na minha frente. E eu percebo que isto é algo importante. Ela está viva. Ela está presente na minha frente. Seria bom se eu dissesse algo agradável para ela, porque amanhã posso não estar aqui para dizer isto. E, então, você olha para ela e diz: "Querida, sei que você está aí e estou tão feliz". Então, a plena atenção pode atuar como um catalisador e iniciar algum pensamento, alguma fala ou alguma ação. Por isto, dizemos que a plena atenção pode surgir mais tarde, ou a plena atenção, algumas vezes, se desejarmos, pode ser a iniciadora de algum pensamento, fala ou ação. Quando compreendemos este processo, temos chance de nos libertar. Maior liberdade começa com estas pequenas liberdades que trazemos à tona com a plena atenção.

Recuperando sua soberania

Para mim, a plena atenção é nossa primeira chance real de liberdade, de livre-arbítrio. Num estado de dispersão, nossa mente não está junto de nosso corpo. Nosso corpo pode estar lá, mas nossa mente está no passado, no futuro, capturada pela nossa raiva, pela nossa ansiedade, por nossos projetos. A mente e o corpo não estão unidos. Então, com a respiração em plena atenção, nós trazemos a

Oportunidade para livre-arbítrio

mente para junto do corpo novamente. Em inglês, existe a expressão *pulling oneself together*, cuja tradução literal poderia ser a expressão "juntar as partes de uma pessoa" e que significa algo como assumir o controle sobre si. *Pulling oneself together* significa que você pode se tornar o seu melhor eu. Você recupera alguma soberania sobre si. E sabe que, quando você consegue se reunir, há um tanto de plena atenção e de concentração nisto. Você está totalmente estabelecido no aqui e no agora e está atento ao que está acontecendo. Você não é mais uma vítima da situação, da situação do seu corpo, da situação da sua mente armazém, da situação de seu ambiente. Esta é a razão para a plena atenção ser tão importante. Ela pode nos ajudar a ficar atentos ao que está acontecendo. Pode nos ajudar a iniciar algo. Pode nos ajudar a retomar, a recuperar nossa soberania.

Com a plena atenção, deixamos de ser vítimas da energia habitual. Não se trata de lutarmos contra a energia habitual que existe dentro de nós; pelo contrário, trata-se de nos tornarmos atentos a ela e a envolvermos habilmente. Com a prática da respiração em plena atenção, nós nos tornamos atentos quando a energia habitual está surgindo. Podemos falar para nós mesmos: "Oh, cara energia habitual, você é uma amiga antiga, eu a conheço muito bem. Eu cuidarei muito bem de você". Com a plena atenção, você mantém a sua liberdade. Deixa de ser uma vítima de sua energia habitual e, já sabe como fazer uso de muitas condições, com o intuito de tornar a sua plena atenção mais forte. São elementos de apoio, por exemplo, condições como uma comunidade que pratica a plena atenção, o som do sino e a prática da meditação.

Com a consciência da mente e a prática da plena atenção podemos trazer o passado de volta para o presente. Estamos ainda estabelecidos no momento presente, não estamos nos perdendo no passado, mas

Corpo e mente em harmonia

podemos trazer o passado de volta para o momento presente, para olhar, para observar, para estudar. Estabelecido na plena atenção, você pode revisar as coisas que aconteceram no passado: "Toda vez que eu fiz isto, eu consegui isto ou consegui aquilo". Você pode observar as leis de causa e efeito. Desta forma, a consciência da mente é capaz de aprender com o passado. Aprender com o passado nos trará liberdade, e este é um elemento que nos ajuda a tomar boas decisões, decisões que nos ajudarão a não sofrer no momento presente e no futuro. A consciência da mente pode nos ajudar a aprender sobre o passado e, também, aprender sobre o futuro, porque o futuro está disponível aqui e agora. Sabemos que o futuro será feito apenas do momento presente. A substância da qual o futuro se compõe é o momento presente. Este é o motivo para, olhando mais profundamente para o momento presente, nós já vermos o futuro. Se há paz, harmonia, esforços corretos e plena atenção agora, nós sabemos que o futuro será bom. Mas se, no momento presente, somos apenas uma vítima de nossas energias habituais, sabemos que o futuro não será tão bom. Nós já podemos ver o futuro agora. Esta é a forma como a plena atenção pode revelar não apenas o momento presente, mas também o passado e o futuro.

Pode existir alguém que tenha dificuldades por ser como é. Quando está em uma reunião e é provocado, ele explode. Mas, um dia, alguém vem até ele e diz: "Tente novamente, desta vez você pode ter sucesso". No entanto, ele se recusa a tentar, porque sabe, a partir da experiência, que toda vez que se senta numa reunião, explode, ele pensa apenas ser assim. Mas o amigo fala: "Bem, eu estarei com você e isto fará diferença. Eu estarei segurando a sua mão. Quando você sentir que eu estou apertando a sua mão, retorne a sua respiração em plena atenção e não fale nada". Então, o amigo treina com ele antes. Os dois amigos vão à reunião. Durante toda reunião, o amigo fica segurando a mão dele. No momento em que a provocação acontece,

Oportunidade para livre-arbítrio

ele aperta a mão da outra pessoa. A outra pessoa já conhece a prática da respiração em plena atenção e, aí, então, ele pratica inspiração e expiração e se abstém de falar qualquer coisa. Talvez, pela primeira vez na vida, esta pessoa não estoure em uma reunião, porque há o novo elemento da plena atenção entrando na vida dela.

O amigo apoiador tem praticado a bondade amorosa, ele vê o sofrimento, ele traz apoio para você. O amigo é uma condição para despertar, uma condição para mudança. O Buda, os _bodhisattvas_ e todos aqueles que praticam compaixão e compreensão sempre tentam fornecer, às pessoas, as condições que irão ajudá-las. Então, eles podem intervir em nossa vida. Algumas vezes, você mesmo e, algumas vezes, um amigo irá trazer as condições para o seu despertar. Mudança vem de dentro e de fora, mas mudança acontece de fato, oferecendo a cada um de nós uma oportunidade para livre-arbítrio.

Carma individual e coletivo

Cada um de nós possui oportunidade para livre-arbítrio, mas nós não podemos ter isto de maneira isolada. Nosso carma individual, nosso ambiente e nosso carma coletivo são interdependentes. Anteriormente, demos o exemplo da vela que oferece luz. A vela não apenas oferece luz, mas também oferece calor, aroma e também água e carbono. Esta é a oferta da vela ao meio ambiente. A vela cria, parcialmente, seu próprio ambiente. E o que a vela criou também influencia a própria vela. A luz emitida por ela retorna para ela; você pode ver a vela muito claramente por meio da própria luz dela. O calor provoca o derretimento da cera de tal forma que a absorção do combustível se torna mais fácil. Então, tudo que a vela oferece, a vela também recebe.

Imagine que há uma segunda vela e a luz desta vela também brilha ao redor dela própria. Nós podemos pensar na luz da primeira vela

Corpo e mente em harmonia

como individual, mas você sabe que a luz dela também está atingindo a segunda vela. Então, a luz da vela não é exatamente individual e, também, não é exatamente coletiva. Depende de uma gradação: mais individual ou mais coletiva. Não há nada completamente individual e não há nada completamente coletivo. A parte está lá no todo e o todo contém a parte. A luz das velas é uma manifestação coletiva. É o produto não somente de uma vela, mas de duas velas. Imagine mil velas acesas ao mesmo tempo. A luz é uma oferta coletiva, uma manifestação coletiva de todas as velas.

Quando você chega ao Plum Village, a comunidade em plena atenção em que eu moro, você oferece sua energia individual e pessoal. A forma como você pensa e o conteúdo do seu pensamento, a forma como você fala e o conteúdo da sua fala, a forma como você age e o conteúdo de suas ações, todos estes contribuem para a atmosfera do Plum Village. Se seu pensamento é compassivo e tolerante, você faz uma contribuição positiva para a beleza, para a paz, para o amor do Plum Village. Se seu pensamento está repleto de discriminação, preocupações e ódio, você não faz uma contribuição positiva. Esta é a razão para tudo ser coletivo e pessoal, ao mesmo tempo. O coletivo é feito do pessoal *e* o pessoal é feito do coletivo.

Você pensa nos seus olhos como pertencentes somente a você. Mas isto não é verdade sob o prisma da manifestação coletiva. Lembre do exemplo do motorista de ônibus. Parece que o nervo óptico do motorista é propriedade dele, mas as vidas dos passageiros dependem do nervo óptico dele também. O coletivo e o individual entre-são. Esta é a razão para podermos entender o carma como manifestação coletiva.

Retribuição é, em parte, individual, baseada nos seus pensamentos, nas suas ações e nas suas palavras. Mas é, também, coletiva e no ambiente. Ao olhar para a floresta, você está ciente de que as árvores fornecem oxigênio para você e, então, você se vê como a floresta,

Oportunidade para livre-arbítrio

como as árvores, porque você não consegue respirar sem elas. Você vê que as árvores e a floresta fazem parte do seu corpo. Nas grandes cidades, sempre há um parque central. O parque central na cidade é o nosso pulmão, o pulmão coletivo de todos, de cada cidadão; do contrário não teríamos oxigênio suficiente para respirar. Vemos que é crucial que existam parques. Estes parques são nossos pulmões fora deste corpo.

Eu sei que há um coração interior, e, se meu coração interior não funcionar, eu morrerei em seguida. Desta forma, tento fazer tudo que eu posso para proteger e preservar meu coração. Mas quando eu olho para o sol vermelho, e inspiro e expiro, vejo que o sol é um outro coração meu. Se o sol parar de funcionar, eu morrerei em seguida. É por esta razão que considero o sol como meu coração[7]. Quando você pratica desta forma, você se vê como não limitado pela pele de seu corpo. Vê que o ambiente é você. Esta é a razão para o segundo aspecto de retribuição ser o ambiente. Cuidar do ambiente é cuidar de você mesmo.

O Sutra do Diamante nos ensina sobre as Quatro Noções. Elas são quatro percepções errôneas que devemos eliminar para podermos ver claramente. A primeira é a noção de eu. Isto não é tão difícil de entender, porque sabemos que o eu é feito apenas de elementos não eu. A segunda é a noção de ser humano e sabemos que humanos são feitos apenas de elementos não humanos. A terceira é a noção de seres vivos. Usualmente distinguimos entre seres vivos e mundo inanimado, como plantas e minerais. No entanto, sabemos muito bem que, se poluirmos os minerais e se matarmos as plantas, então os animais não terão em que basear sua manifestação e continuar. E, se poluirmos o mundo mineral, as plantas não terão a menor chance de aflorar como

---

[7] Para mais deste assunto, cf. HANH, Thich Nhat. *The Sun My Heart*. Berkeley, CA: Parallax Press, 1988.

Corpo e mente em harmonia

nutrimento para o mundo animal. Por isso, esta visão ajuda você a ver que seu corpo é composto também das plantas, seu corpo é composto também dos minerais, ajudando você a ver que preservar o ambiente é preservar você mesmo. A última noção que nós eliminamos é que a vida é um breve espaço de tempo. Nós somos capturados pela noção de que nós estamos aqui por oitenta anos, mais ou menos, nesta terra. Esta é uma noção que não corresponde à realidade. O *insight* do não nascimento e da não morte é o combustível que nos ajuda a queimar a noção de que a vida é breve.

Seu ambiente é coletivo, mas você é também uma manifestação coletiva. A vida dos outros depende fortemente da sua capacidade de ver a estrada claramente. Sua vida depende dos outros apoiarem as condições para sua vivência. Então, seus olhos são uma manifestação coletiva, sua mente é parte de toda nossa retribuição.

No Plum Village, nós usamos um logo com a flor de lótus. Há um pequeno templo no lótus e as palavras *smrti* (plena atenção), *samadhi* (concentração) e *prajña* (*insight*) estão ao redor do templo. Nossa prática é a prática do cultivo da liberdade. Como praticante da plena atenção, você tem que acreditar que a liberdade é possível. Nossa crença não é baseada em ideias abstratas. Nós olhamos em volta. Nós vemos que, dentre nossos irmãos e irmãs espirituais, dentre nossos copraticantes, há também aqueles que adquiriram mais liberdade agora do que possuíam há três anos. Desta forma, nossa crença se baseia na experiência direta e não apenas no pensamento do desejo. Se nós olharmos para nós mesmos, veremos que possuímos um pouco mais de liberdade agora do que possuíamos ontem. Nossa prática visa a reunir mente e corpo para que se tornem nosso melhor eu. A qualidade da nossa existência é determinada por nossa energia da plena atenção, da concentração e do *insight*. Com esta energia, nós podemos eliminar obstáculos que costumavam nos amarrar ou bloquear nosso caminho.

Oportunidade para livre-arbítrio

Pode ser dito que a trilha do Buda é a trilha da liberdade. Liberdade, liberação e salvação são o que podemos observar em nossa vida diária. Olhando para dentro de nós mesmos, olhando para dentro da pessoa de nossas irmãs e irmãos no Darma, nós percebemos que há progresso, há um processo de libertação acontecendo e nós podemos apoiar uns aos outros na trilha da libertação. Nossa prática não é apenas para a liberdade individual, mas para libertação e liberdade coletiva. Nós sabemos que isto é possível.

7

O hábito da felicidade

Como nós podemos aprender a prática do não eu? Quando você aprende algo pela primeira vez, você usa a consciência da mente para compreender. E, depois de algum tempo, isto se torna um hábito e, aí, a consciência da mente não precisa mais estar atenta. Há um processo de formação de hábitos, uma tendência a automatizar tudo e a usar nossa consciência armazém, de tal forma que, mesmo que não preste atenção ao que você está fazendo, você pode fazer as coisas corretamente, como caminhar. Quando você caminha, sua mente pode estar inteiramente absorvida com o pensamento sobre outras coisas, mas a consciência dos seus olhos colabora com a consciência armazém o suficiente para evitar acidentes.

Nós usamos esse processo de transformar a informação em consciência armazém para criar hábitos. Se você trabalha muito com a sua consciência na mente, você envelhece muito rapidamente. Suas preocupações, seu pensamento, seu planejamento e sua reflexão requerem muita energia. Uma pessoa chamada Mu Thu Tu, na China Antiga, passou uma noite apenas se preocupando e tendo medo e, pela manhã, todo o seu cabelo havia ficado branco. Não faça isso! Não use demais a sua consciência da mente, ela consome muito da sua energia. É melhor *ser* do que pensar.

Isto não significa que nós deixamos de usar nossa plena atenção, pelo contrário, nossa plena atenção se torna um hábito que nós podemos praticar sem nos esforçar. A consciência da mente é o nível

Corpo e mente em harmonia

no qual nós podemos nos treinar no hábito da plena atenção e, então, este hábito irá infiltrar na consciência armazém, criando um padrão de plena atenção nesta consciência. A plena atenção tem a capacidade de estimular o cérebro, de apreender o que percebemos de uma nova maneira, assim nós não ficamos apenas funcionando no piloto automático. É possível reprogramar a nossa consciência armazém para responder em plena atenção, em vez de em mente desatenta? É possível instilar o hábito da felicidade em nossa consciência armazém?

Para que isto aconteça, temos que aprender a lição da plena atenção com nossos corpos e com nossa consciência armazém, em vez de com nossa consciência da mente. A lição que nós estamos aprendendo é que temos que tratar nosso corpo como uma consciência. A prática tem que envolver o nosso corpo. Você não pode apenas praticar com sua mente, porque seu corpo é um aspecto da sua consciência e sua consciência é uma parte do seu corpo.

Quando a nossa consciência armazém e nossa consciência dos sentidos (que nós também podemos chamar de nossa consciência do corpo) estiverem em harmonia, nós acharemos mais fácil cultivar o hábito da felicidade. Quando nós estamos apenas começando a praticar, ao ouvirmos o sino, temos que fazer um esforço para nos concentrar, para apreciar o sino, para praticar a respiração atenta e para nos acalmar. Nós usamos muita energia. Mas depois de praticar por seis meses, um ano ou dois anos, isto acontecerá naturalmente e a mente não tem que intervir. O sino vai diretamente à consciência armazém através da consciência do ouvido e a resposta se torna natural. Nós não temos mais que fazer esforço ou usar muita energia como fazíamos no começo. É desta forma que a prática pode se tornar um hábito. Quando a prática se torna um hábito, não temos que exercer muito esforço no nível da consciência da mente. Isto mostra que uma boa prática pode transformar hábitos antigos que não nos servem mais.

O hábito da felicidade

Boa prática pode também criar bons hábitos. Chega um momento em que nós não temos mais que usar a consciência da mente para tomar decisões – nós apenas praticamos naturalmente. Há muitos que não precisam fazer uma decisão consciente para praticar a respiração atenta. Quando ouvimos um sino, praticamos a respiração atenta naturalmente e apreciamos isto. Um comportamento é menos custoso quando se torna um hábito.

A plena atenção é uma prática para se apreciar, não para trazer mais adversidade para nossa vida. A prática não é trabalho pesado, é uma questão de prazer. E o prazer pode se tornar um hábito. Alguns possuem somente o hábito do sofrimento. Outros, dentre nós, cultivaram o hábito de sorrir e de ser feliz. A capacidade de ser feliz é a melhor coisa que nós podemos cultivar. Então, por favor, deleite-se ao caminhar, deleite-se ao sentar. Nós nos deleitamos ao sentar e caminhar por nós mesmos, por nossos antepassados, por nossos pais, nossos amigos, amados e por nossos chamados inimigos. Caminhar como um buda – esta é a nossa prática. Nós não precisamos aprender e compreender todos os sutras, todos os ensinamentos escritos do Buda, para sermos capazes de caminhar como um buda. Não. Nós não precisamos de nada além de dois pés e nossa atenção. Nós podemos beber nosso chá de forma atenciosa, escovar nossos dentes de forma atenciosa, nós podemos inspirar de forma atenciosa, dar um passo de forma atenciosa. E isso pode ser feito com muita alegria e sem nenhuma luta ou nenhum esforço. É uma questão de prazer.

A verdadeira felicidade advém da plena atenção. Esta nos ajuda a reconhecer muitas condições de felicidade que estão disponíveis no aqui e no agora. Concentração nos ajuda a entrar em contato mais profundamente com essas condições. Com alerta e concentração suficientes, o *insight* nasce. Com o *insight* profundo, nós estamos livres de percepções errôneas e nós podemos manter nossa liberdade por

Corpo e mente em harmonia

um longo tempo. Com *insight* profundo, nós não ficamos mais com raiva, nós não ficamos mais desesperados e nós podemos aproveitar cada momento da vida.

Há aqueles que precisam de certa dose de sofrimento para o reconhecimento da felicidade. Quando você realmente sofreu, então, vê que o não sofrimento é maravilhoso. Mas há aqueles que não precisam sofrer e, ainda assim, possuem a capacidade de saber que o não sofrimento é felicidade, é maravilhoso. Com a plena atenção, nós nos tornamos atentos ao sofrimento que está acontecendo ao nosso redor. Há muitos que não conseguem se sentar assim como nós, em calma e segurança. Uma bomba ou um míssil pode cair sobre eles a qualquer momento, por exemplo, no Oriente Médio ou no Iraque. O que eles querem é paz. O que eles querem é cessar a matança. Mas eles não têm isso. Por outro lado, há muitos que possuem a chance de sentar desta forma – com muito mais segurança –, muitos que vivem em uma situação onde este tipo de sofrimento não existe. Mas, aparentemente, nós não conseguimos apreciar isto.

A plena atenção nos ajuda a nos tornarmos atentos ao que está acontecendo ao nosso redor e, repentinamente, nós sabemos como valorizar as condições de paz e felicidade que estão disponíveis no aqui e no agora. Nós não precisamos realmente ir a algum outro lugar para compreender o sofrimento. Nós apenas temos que ser atentos. Você pode ficar onde você está e a plena atenção irá ajudá-lo a entrar em contato com o sofrimento do mundo e a perceber que muitas condições de felicidade existem para você. Você pode se sentir seguro, feliz, alegre e poderoso o suficiente para mudar a situação ao seu redor.

O sentimento de desespero é a pior coisa que pode acontecer com um ser vivo. Quando você se desespera, você quer se matar ou matar alguém para expressar a sua ira. Há tantas pessoas que estão prontas para morrer com o intuito de punir outras pessoas, pois elas já sofreram tanto. Como podemos oferecer a elas uma gota do néctar de compaixão? Como podemos fazer uma gota desse néctar cair nos corações daqueles que estão repletos de ira e de desespero? Cada um de nós, praticando a plena atenção, tem condições de entrar em contato não apenas com as maravilhas da vida que nutrem e curam, mas, igualmente, com o sofrimento, para que nosso coração seja preenchido com compaixão e para que nos tornemos um instrumento do *bodhisattva* Avalokiteshvara, a compaixão *bodhisattva*. Sempre podemos ser algo, fazer algo, como Avalokita, levando o néctar da compaixão para uma situação de desespero.

Métodos para cultivar o hábito da felicidade

Baseado no que aprendemos sobre o corpo e a mente, gostaria de propor os seguintes exercícios para cultivar a concentração, a plena atenção e o *insight*. Esses exercícios são: as três concentrações, as seis paramitas, a formação *Sangha* e a não discriminação. Estes ensinamentos estão no coração da prática budista e do segredo da felicidade. Estes ensinamentos se sustentam e apoiam um ao outro. Se a sua concentração é suficientemente poderosa, você irá fazer uma descoberta, você terá um *insight*. Você precisa estar lá, com o corpo e a mente unidos, completamente presente – isto é plena atenção. E se você está neste estado de ser, então consegue se concentrar. E se a sua concentração é poderosa, você possui uma chance de abrir uma passagem para a felicidade.

As três concentrações

Há três tipos diferentes de concentração. A primeira é a vacuidade. Vacuidade aqui é uma concentração e não uma filosofia. Vacuidade não é uma tentativa de descrever a realidade. A vacuidade é oferecida

Corpo e mente em harmonia

como um instrumento. Nós temos que lidar com a noção de vacuidade habilidosamente, para não sermos capturados por esta noção. A noção de vacuidade e o *insight* da vacuidade são duas coisas diferentes. Vamos considerar uma vela. Para acender uma vela, você acende um fósforo, você precisa de fogo. Um fósforo é apenas um instrumento, um meio. Sem o fósforo, você não pode produzir fogo. A sua finalidade última é a chama e não o fósforo. O Buda oferece para você a noção de vacuidade, porque ele tem que usar noções e palavras para se comunicar.

Com o uso habilidoso da noção de vacuidade, você pode produzir o *insight* da vacuidade. Assim que o fogo se manifesta, ele vai se consumir, destruindo a noção de vacuidade. Se você é habilidoso o suficiente para fazer uso da noção de vacuidade, então você possui o *insight* da vacuidade e está livre da palavra "vacuidade". Eu espero que você possa ver a diferença entre vacuidade como *insight* e vacuidade como noção.

Samadhi não é uma doutrina, não é uma tentativa de descrever a realidade, mas é um meio hábil de ajudar você a atingir a verdade. É como o dedo apontando para a lua. A lua é muito bela. O dedo não é a lua. Se eu aponto o meu dedo e digo: "Caro amigo, esta é a lua" e você pega este dedo e fala: "Oh, isto é a lua!" – você não possui a lua. Você é capturado pelo dedo, você não pode ver a lua. O darma do Buda é o dedo, não a lua.

O Sutra do Coração diz: "Forma é vacuidade, vacuidade é forma" – o que isto significa? O *bodhisattava* Avalokiteshvara falou que tudo é vazio. Nós gostaríamos de perguntar para ele: "Senhor *Bodhisattava*, você fala que tudo é vazio, mas eu quero perguntar para você, 'vazio de quê?'" Porque vazio é sempre vazio de algo. Esta é uma maneira habilidosa de destruir a palavra "vacuidade" para podermos atingir o *insight* da vacuidade. Imagine um copo. Nós concordamos que ele

O hábito da felicidade

está vazio. Mas é importante perguntar a questão que parece ser inútil, mas não é: "Vazio de quê?" Vazio de chá, talvez. Vazio significa vazio de algo. É como consciência, percepção, sentimento. Sentir significa sentir algo. Tornar-se consciente significa tornar-se consciente de algo. Estar em plena atenção significa estar em plena atenção para algo. O objeto está lá concomitantemente ao sujeito. Não pode haver mente sem o objeto da mente. Isso é muito simples, muito claro. Então, concordamos que o copo está vazio de chá. Mas não podemos falar que o copo está vazio de ar. Ele está cheio de ar.

Quando eu observo uma folha, eu vejo que a folha está cheia, totalmente cheia. Eu olho para a folha, eu toco a folha e, com meu maravilhoso instrumento denominado mente, posso ver que, enquanto eu toco a folha, também estou tocando uma nuvem. A nuvem está presente na folha. Eu sei muito bem que sem nuvem, sem chuva, nenhuma árvore de choupo pode crescer. É por esta razão que, quando eu toco uma folha, eu toco os elementos não folha. Um desses elementos não folha é chamado nuvem. Eu toco a nuvem, eu toco a chuva a partir do toque na folha. Ao tocar a folha eu sei que água, chuva, nuvem, estão lá na folha. Eu também toco a luz do sol na folha. Eu sei que sem a luz do sol nada pode crescer. Eu estou tocando o sol sem me queimar. E eu sei que o sol está presente na folha. Se continuar a minha meditação, verei que eu estou tocando os minerais do solo, estou tocando o tempo, estou tocando o espaço, estou tocando a minha própria consciência. A folha está repleta do cosmo – espaço, tempo, consciência, água, solo, ar e tudo, então como podemos falar que ela está vazia?

É verdade que a folha está repleta de tudo, exceto de uma coisa, e esta coisa é uma existência separada, um "eu". Uma folha não pode existir isoladamente, uma folha possui o entre-ser, da mesma forma que todo resto do cosmo. Uma coisa tem que contar com todas as outras coisas para se manifestar. Uma coisa não pode existir sozinha.

Corpo e mente em harmonia

Assim, a vacuidade é, primeiramente, vazia de um eu separado. Tudo contém todo o resto. Ao olhar para dentro da folha nós vemos somente os elementos não folha. O Buda é feito somente de elementos não Buda. O budismo é feito somente de elementos não budistas. E o meu eu é feito somente de elementos não eu.

Ausência de simbolização

A segunda concentração é a ausência de simbolização, *animita*. Ausência de simbolização significa não ser capturado pela aparência. É como se a nuvem que nós observamos no céu possuísse um começo e, então, falássemos em "nascimento" da nuvem. É como se uma nuvem pudesse morrer em algum momento, hoje à noite, e assim deixaria de existir no céu. Nós possuímos uma noção de nascimento e morte. Mas, com a prática do olhar profundo, nós podemos tocar a natureza do não nascimento e da não morte da nuvem. Se nós vivermos nossa vida em plena atenção, então nós seremos capazes de tocar a natureza da ausência de simbolização. Ao tomar seu chá, você reconhece sua nuvem amada na xícara. A nuvem pode tomar a forma de um cubo de gelo. A nuvem pode tomar a forma de neve nos Pireneus. A nuvem pode estar no sorvete que seu filho está tomando. Então, com a sabedoria da ausência de simbolização, você descobre que nada nasce e que nada pode morrer – e você tem não medo. A verdadeira felicidade, a perfeita felicidade, não pode ser conseguida sem o não medo. Olhar profundamente e tocar a natureza do não nascimento e da não morte irá afastar o medo de você.

Há o elemento da ilusão em nós e há o elemento da iluminação em nós. Nós sofremos por causa do elemento da ilusão. Nós podemos nos tornar um buda por causa do elemento da iluminação. É desta maneira que a dualidade entre cérebro e mente pode ser resolvida. A realidade é expressa como cérebro ou como consciência. Falar que o cérebro nasce da mente ou que a mente é uma propriedade emergente do cérebro não é verdadeiro – você não tem que fazer isto. Você pode dizer que ambos, mente e cérebro, manifestam-se sob a base da consciência armazém e que eles se apoiam um no outro em suas manifestações. Sem a mente, o cérebro não pode existir; sem o cérebro, a mente não pode se manifestar. Tudo conta com todo o resto para se manifestar. Como a folha, como a flor – uma flor tem que contar com elementos não flor para se manifestar. A mesma coisa é verdadeira para a mente. A mesma coisa é verdadeira para o cérebro.

Ausência de objetivos

A terceira concentração é a ausência de objetivos, *apranihita*. Sem preocupação, sem ansiedade, nós somos libertados para apreciar cada momento de nossas vidas. Não tentar, não fazer grandes esforços, apenas ser. Que alegria! Isso parece contradizer a nossa maneira normal de funcionar. Nós nos esforçamos tanto para atingir a felicidade, para lutar por paz. Mas, talvez, nossos esforços, nossas lutas, nossas metas sejam, exatamente, os obstáculos para alcançarmos a felicidade, para fomentarmos a paz. Nós todos já tivemos a experiência de procurar por uma resposta e aí, quando nós deixamos completamente de lado e relaxamos, a resposta aparece, sem esforço. Isto é ausência de objetivo. Nós sentimos prazer na nossa respiração, em tomar chá, em sorrir com a plena atenção, andar com a plena atenção e, então, o *insight* aparece, a compreensão surge, naturalmente. A ausência de objetivo é uma prática maravilhosa. É tão prazeroso, tão renovador. Eu acredito que os cientistas precisam desta prática tanto quanto os meditadores, para libertar suas mentes, para abrir a mente para as possibilidades que estão para além de suas imaginações. Muitas descobertas científicas aconteceram fundamentadas na ausência de objetivo, porque, quando você não está perseguindo a sua meta, você possui mais oportunidades de chegar a um novo e inesperado *insight*.

Corpo e mente em harmonia

As seis *paramitas*

As três concentrações podem levar para o *insight*. Podemos ter *insight* também por intermédio das seis *paramitas*, as seis técnicas para a felicidade. *Paramita* significa que, desta margem, você pode ir até a outra margem. A felicidade está lá na outra margem. Esta margem pode ser a margem do medo, mas nós podemos atravessar até a margem do não medo. Esta margem pode ser a margem dos ciúmes, mas nós podemos atravessar até a margem da não discriminação, do não medo, do amor. Algumas vezes, precisamos de apenas um segundo para sair da margem do sofrimento para chegar à margem do bem-estar.

Generosidade

A primeira prática é a prática da generosidade, *dana paramita*. É maravilhoso se dar. Quando você está bravo com alguém, você tende a punir a pessoa. Você quer privá-la disto ou daquilo, esta é a nossa tendência natural. Mas se você conseguir dar algo para ela, sua ira vai desaparecer e você irá para a outra margem imediatamente, a margem da não ira. Tente isto. Suponha que, de tempos em tempos, você se irrite com seu parceiro e sabe que isto vai acontecer novamente no futuro. Então, você compra ou faz um presente e esconde em algum lugar. Da próxima vez que você se irritar com ele ou com ela, não faça ou fale nada, apenas pegue o presente e dê para ele ou para ela. Você não irá mais se irritar com ele ou com ela. Esta é a recomendação do Buda.

O Buda nos ensinou muitas formas de lidar com nossa ira, e essa é uma delas. Quando você está muito bravo com alguém, dê para ele alguma coisa, dê para ela alguma coisa, pratique a generosidade. Você não precisa ser rico para praticar a generosidade, para praticar o presentear. Você não tem que ir até um *shopping* para adquirir um presente. A forma como você olha para ele ou para ela já é um presente.

O hábito da felicidade

Há compaixão em seus olhos. A forma como você fala é um presente, porque o que você diz é doce, é muito libertador. Uma carta que você escreve para ela também pode ser um presente. Nós somos ricos em termos de pensamento, em termos de fala e em termos de ações, sempre podemos ser generosos. Não seja econômico. Você pode ser generoso a qualquer momento e isso vai inspirar a felicidade das pessoas ao seu redor. Pratique *dana paramita*. Sempre seja generoso e você se tornará mais e mais rico a cada momento. Esta é a primeira ação de um *bodhisattva*, a prática da generosidade. Por favor, lembre-se de que você não precisa ser rico para praticar a generosidade.

Os treinamentos em plena atenção

A segunda prática é a prática dos treinamentos em plena atenção, *shila paramita*. A prática dos treinamentos em plena atenção também é um presente – um presente para você e um presente para a pessoa que você ama. Se você insistir na prática dos treinamentos em plena atenção, irá proteger a si, você se fará bonito, você se fará saudável, você se fará seguro e isto irá dar suporte para a felicidade de outra pessoa. Na prática dos treinamentos em plena atenção, você está protegido pela energia do Buda, do Darma e da *Sangha*; assim, deixará de cometer erros, não causando sofrimento para si e para as pessoas de sua convivência. É por isto que a prática dos treinamentos já pode ser um presente. Os cinco treinamentos em estado de plena atenção lidam com integridade, honestidade e compaixão[8]. Eles abrangem a proteção da vida, a prevenção da guerra e destruição da vida, a prática da generosidade, a prevenção da conduta sexual errônea, a prática da atenção, da fala amorosa e da escuta profunda e, ainda, a prática do consumo atento.

---

[8] Cf. HANH, Thich Nhat. *For a Future to Be Possible*. Berkeley, CA: Parallax Press, 1993, 2007.

Corpo e mente em harmonia

O praticante dos treinamentos em plena atenção possui uma energia poderosa que o protege e que preserva a liberdade e o não medo. Se você pratica os cinco treinamentos em plena atenção, você deixa de ser sujeito ao medo, porque seu corpo treinado em plena atenção é puro. Você não possui mais medo de nada. Isto é um presente para toda a sociedade e não somente para as pessoas que nós amamos. Um *bodhisattva* é alguém que sempre está protegido com a prática dos treinamentos em plena atenção e que pode oferecer muito da prática dele sobre treinamentos em plena atenção.

Inclusividade

A terceira técnica para atravessar até a outra margem é a prática da inclusividade, *kshanti paramita*, a prática que ajuda seu coração a se tornar cada vez maior o tempo todo. Como nós podemos ajudar nossos corações a crescer, todos os dias, para que se tornem capazes de abraçar tudo? O Buda deu um exemplo muito bonito. Imagine que você tem uma tigela de água e que alguém coloca uma mão cheia de sal na água da tigela; ela, então, torna-se muito salgada para você beber. Mas imagine que alguém tenha jogado uma mão cheia de sal em um rio limpo de montanha. O rio é profundo e largo o suficiente para você poder tomar a água sem que ela pareça salgada.

Quando o seu coração é pequeno você sofre demais. Mas quando seu coração se torna maior, muito grande, então a mesma coisa não faz você sofrer tanto. Assim, o segredo é ajudar o seu coração a crescer. Se seu coração é pequeno, você pode não aceitar aquela pessoa, pode não tolerar ele ou ela ou o defeito dele ou dela. Mas quando o seu coração é grande, você possui muita compreensão e compaixão, então, não há nenhum problema, você não sofre e abraça a pessoa, porque o seu coração é grande.

O hábito da felicidade

Nós sofremos porque nossos corações são pequenos. Nós demandamos que a outra pessoa mude para nos aceitar. Mas quando nossos corações são grandes, não impomos nenhuma condição, aceitamos as pessoas como elas são, e elas têm, então, uma chance para se transformar. O segredo é conseguir fazer nosso coração crescer. A prática da compreensão ajuda a aumentar a energia da compaixão. Quando a compaixão está lá, não sofremos mais. Nós sofremos porque não temos compaixão suficiente. No momento em que temos muita compaixão, não há mais sofrimento. Nós encontramos os mesmos tipos de pessoas, encontramos as mesmas situações, mas não sofremos mais, porque nosso amor é muito grande.

Ajudar o coração a crescer, *kshanti paramita*, é a capacidade de abraçar todo mundo, tudo, você não exclui ninguém. No amor verdadeiro, você não discrimina mais. Qualquer que seja a cor da pessoa, religião ou crenças políticas, você aceita todos sem qualquer tipo de discriminação. A inclusividade aqui significa não discriminação de nenhuma forma. A prática de *kshanti paramita* tem sido compreendida como a prática da tolerância. Mas a expressão tolerância pode ser enganadora. Quando você tenta tolerar, você sofre. Mas quando seu coração é muito grande, é como se você não sofresse nada. Imagine que você possua um cesto de sal e o jogue no rio – o rio não sofre, porque o rio é imenso. As pessoas continuam a pegar água para cozinhar e para beber, e tudo bem. Então, você sofre apenas quando o seu coração é pequeno. Esta é a razão para o *bodhisattva* poder continuar a sorrir. Ao praticar *kshanti paramita* você não tem que se conter, tentar fazer um esforço, porque se você está se contendo, tentando suportar, isto pode ser perigoso. Se seu coração é pequeno e você faz muito esforço, seu coração pode quebrar. A prática da inclusividade consiste em ajudar o seu coração a se tornar maior, maior e maior. E isto é graças à prática da compreensão e da compaixão.

Diligência

A diligência, a próxima paramita, é *virya paramita*. Quando nós estudamos a consciência no budismo, nós compreendemos o significado da diligência em termos da consciência armazém, em termos das sementes. Em nossa consciência armazém há sementes do sofrimento e há sementes da felicidade, há sementes benéficas e prejudiciais. A prática da diligência consiste em regar as sementes benéficas. É uma prática quádrupla. Em primeiro lugar, arrume a sua vida de uma forma tal que as sementes más não terão chance de se manifestar. Isso requer um pouco de organização. Nós temos que organizar nossa vida e nosso meio para que a semente da violência, a semente da ira e a semente do desespero em nós não sejam regadas. Há algumas pessoas que vivem em um tipo de ambiente onde as sementes negativas são regadas todos os dias. Isto não é diligência. Nós temos que organizar, temos que decidir, temos que utilizar nosso livre-arbítrio para organizar nossa vida, o que inclui nossos padrões de consumo. Nós sabemos muito bem que existe uma semente do desespero, da violência, da ira e do medo dentro de nós. Não é saudável se nós as regamos, permitindo a manifestação delas. Se moramos num centro de prática, muitas coisas que ouvimos e vemos nos ajudam a tocar os aspectos benéficos de nossa consciência. Então, as sementes negativas possuem menos chances de crescer. Você pode conversar com os outros sobre como criar o tipo de ambiente e a forma de vida que ajudem você a evitar que estas sementes negativas sejam regadas e se manifestem.

E se por um acaso as sementes negativas tiverem sido regadas e se manifestarem, o que você deve fazer? Providencie para que elas voltem à forma de semente o mais rápido possível. Há muitas formas de fazer isso. Suponha que pela prática do *yoniso manaskara*, atenção apropriada, nós prestemos atenção em outros objetos da consciência,

O hábito da felicidade

coisas interessantes, pacíficas e bonitas. Quando nós entramos em contato com coisas boas, as manifestações prejudiciais retornam ao seu lugar original como sementes. Dentre os métodos prescritos por Buda, há o método de mudança de cavilha. Antigamente, o carpinteiro usava uma cavilha de madeira para unir dois blocos de madeira. Ele fazia um buraco e colocava uma cavilha dentro do buraco segurando os dois blocos de madeira juntos. Se a cavilha apodrece, você pode mudá-la, colocando uma nova no mesmo buraco e, aí, você substitui a cavilha antiga por uma nova. Esta é uma analogia para a técnica de mudança de formações mentais. Quando, por acaso, a formação mental da ira é regada e se manifesta na consciência da mente, você sofre e agora você tenta usar outra formação mental em substituição à formação mental negativa. Nos nossos dias, eu não usaria as palavras "mudança de cavilha", mas sim "mudança de CD". Se o CD que está tocando não é bom, você apenas o desliga e coloca outro, porque nós temos muitos CDs bonitos lá embaixo, em nossa consciência armazém, para escolher. Assim, a segunda prática é mudar o CD, porque se nós permitimos que o CD anterior, ou formação mental, continue por um longo tempo, ele irá continuar a regar as coisas negativas e trazer estas coisas à superfície novamente. Desta forma, a segunda prática de diligência é providenciar que estas manifestações negativas retornem ao estado de semente o mais rapidamente possível.

A terceira prática é regar as sementes que são benéficas e bonitas em sua consciência armazém, ajudando-as a ter uma chance de se manifestar: a semente da compaixão, do amor, a semente da esperança, a semente da bondade amorosa, a semente da alegria; você realmente possui estas sementes. Então, organize a sua vida e pratique de uma forma tal que estas sementes possam ser regadas muitas vezes em um dia, para que elas se manifestem. Nós podemos fazer isto como uma

Corpo e mente em harmonia

pessoa, podemos fazer isto como um casal, podemos fazer isto como uma *Sangha*, ajudando um ao outro a regar as sementes benéficas para que possam se manifestar na tela da consciência da mente. Quando as sementes benéficas se manifestam, alegria, liberdade e felicidade se tornam possíveis.

A quarta prática é manter as sementes positivas manifestadas pelo maior tempo que você puder. É como quando você recebe convidados agradáveis visitando você. Você os encoraja a ficar o máximo possível, porque eles trazem muita alegria para você. Assim, mantenha as manifestações positivas por mais tempo possível. Quanto mais tempo elas ficam conosco, maior a oportunidade de que estas sementes se desenvolvam no nível inferior da nossa consciência. Quando elas se manifestam, elas servem como a chuva para regar as sementes do mesmo tipo que estão lá embaixo e elas continuam a crescer e crescer. É como quando você continua a assistir violência na televisão e a semente da violência continua a crescer dentro de você. Se você continua a ouvir as conversas Darma, então as sementes da compreensão e da liberdade em você continuarão a ser regadas. É por isto que a diligência dever ser entendida sob a luz do ensinamento na consciência.

Meditação

A quinta técnica é a meditação, *dhyana paramita.* Meditação significa gerar a energia da plena atenção e manter a concentração. Com a plena atenção, você pode entrar em contato com os maravilhosos eventos da vida para sua nutrição e cura. Concentração ajuda você a olhar para tudo profundamente, para descobrir a natureza da impermanência, do não eu e do entre-ser. Há muitos tipos de concentração, incluindo a concentração da impermanência, do não eu, da vacuidade e a concentração do entre-ser.

O hábito da felicidade

Sabedoria

Prajña paramita, cruzar com a balsa da sabedoria, é a sexta para-mita. Nós cultivamos a plena atenção, nós cultivamos a concentração e a compreensão, e a sabedoria é o fruto do nosso cultivo. A sabedoria é o fruto e também o meio para alcançar a libertação. A libertação é encontrada na outra margem. Mas não é uma questão de tempo, não é uma questão de distância para alcançar a outra margem – é uma questão de _insight_, de realização. Ao deixar a margem da ignorância, da ilusão, do apego, das percepções errôneas, nós já estamos tocando a margem da liberdade, da felicidade. Não é uma questão de tempo. Quando você vive profundamente cada momento em plena atenção e concentração, a sua compreensão e o seu _insight_ sempre crescem. É a nossa compreensão que traz compaixão, que nos liberta das aflições como o medo, como a ira. Assim, um _bodhisattva_ vive a sua vida de forma a fazer com que os seis elementos da prática cresçam a cada dia. E, a partir da margem do sofrimento, da margem do amedrontamento, o _bodhisattva_ pode cruzar para a margem do bem-estar e do não medo, muito rapidamente. Porque ele possui instrumentos muito poderosos para fazer isto.

Como uma _Sangha_, cada um de nós possui o dever e a alegria de cultivar a plena atenção. Nossa mente, nosso corpo, é o jardim. Quando nós tocamos a terra perante o Buda, perante os _bodhisattvas_, somos encorajados a tocar o Buda dentro de nós, os _bodhisattvas_ dentro de nós. Temos que saber que Avalokiteshvara, o _bodhisattva_ da compai-xão, não é uma entidade exterior a nós. Possuímos a capacidade de ser compassivos.

Encontrando amigos sábios

Uma forma de alcançar o hábito da felicidade é se associar a seres sábios. No Sutra da Felicidade, o Buda nos conta: "Não se associar a

Corpo e mente em harmonia

pessoas tolas, viver em companhia de pessoas sábias, honrando aqueles que valem a pena honrar – esta é a maior felicidade"[9].

Há duas formas de sabedoria. O Buda falou da mente como iluminada. Quando a mente iluminada não consegue funcionar é em razão das aflições que estão dentro de nós. Se nós conseguirmos afastar as aflições, então a mente irá funcionar como um espelho. Quando a consciência armazém está totalmente transformada, ela se torna a Sabedoria do Grande Espelho Perfeito. É clara, é sabedoria não discursiva, também chamada de "sabedoria raiz", e ela funciona quando nós conseguimos afastar as aflições como medo, ignorância, ódio e desejo ardente.

Quando nós estudamos, fazemos pesquisa e análise, usamos outro tipo de sabedoria, chamada "sabedoria posteriormente adquirida". Esta é a sabedoria que um filósofo ou um cientista usa para fazer análise, raciocínio e inferência. Mas a sabedoria que pode abarcar e compreender a realidade diretamente, não por intermédio do pensamento discursivo, é inata dentro de nós também. Você pode se cercar de pessoas que cultivam este tipo de sabedoria, afastando a ignorância, o medo e a ira delas, de forma que a Sabedoria do Grande Espelho Perfeito possa ser revelada. Quando centenas de pessoas ao seu redor fazem o mesmo, nasce uma energia coletiva muito poderosa.

Esta energia coletiva comunitária é chamada de uma *Sangha*. Uma *Sangha* significa uma comunidade onde existe harmonia. Se não há harmonia, felicidade e fraternidade na *Sangha*, então não é uma *Sangha* verdadeira. Quando amor verdadeiro e harmonia existem, a *Sangha* se torna uma organização viva, e você não está lá mais como um indivíduo, você está lá como uma célula do corpo *Sangha*. Quando trezentas, quinhentas, mil pessoas ouvem o sino, a energia

---

[9] Cf. HANH, Thich Nhat. *Two Treasures*: Buddhist Teachings on Awakening and True Happiness. Berkeley, CA: Parallax Press, 2007.

O hábito da felicidade

coletiva da plena atenção é muito poderosa e irá penetrar dentro do corpo e da mente de todos.

Para construir uma verdadeira *Sangha* você precisa saber como fazer uso da prática budista do amor. Na tradição budista a expressão "amor" é traduzida como fraternidade ou amizade, *maitri*. Nós traduzimos *maitri* como bondade amorosa. Ela vem da palavra *mitra*, que significa amigo. Em uma comunidade monástica, nós moramos juntos como irmãos e irmãs. Quando amamos uns aos outros, não somos posse do outro, não somos um objeto de consumo para a outra pessoa. O amor possui a substância do *maitri* por dentro, ou seja, a capacidade de oferecer amizade e felicidade.

Outro elemento do amor verdadeiro é a compaixão *karuna*, o tipo de energia que ajuda a afastar sofrimento e transformar a dor em outra pessoa. Quando somos uma *Sangha*, praticando juntos, somos poderosos, não nos tornamos vítimas de nosso desespero e, juntos, podemos viver de forma a conseguir ser um fator positivo para mudança social, trazendo esperança e dirimindo a dor dos outros. Quando você possui a *Sangha* dentro do seu coração, a *Sangha* estará com você em todo lugar que você for. Tudo que você falar será o que a *Sangha* quer falar para trazer conforto, esperança e alívio para as pessoas ao seu redor.

Eu sempre me sinto maravilhado ao sentar com a *Sangha*, praticando inspiração e expiração. Isto me traz bastante felicidade. Inspiração, eu estou ciente da *Sangha* sentada comigo, ao meu redor. Sua família também é uma *Sangha*, uma *Sangha* pequena. Sua família pode ser de apenas duas, três ou quatro pessoas, mas você pode muito bem transformar ela em uma *Sangha*. Se você conhece a prática, pode construir *Sanghas* bonitas. É possível viver com felicidade em uma comunidade de cem, duzentas, trezentas pessoas. Se você não possui a prática, então duas ou três pessoas já podem fazer o inferno. Mas se você conhece a prática, então trezentas pessoas podem viver juntas

Corpo e mente em harmonia

em harmonia, felicidade e fraternidade. Uma formação *Sangha* é uma coisa muito bonita de fazer. Cada membro da *Sangha* é um praticante. Ela sabe como trazer paz interior e como fazer outros membros terem esta paz.

Encontrar uma comunidade que você respeite para praticar conjuntamente é crucial para sua felicidade. Isto irá ajudar a sua consciência armazém dia e noite, porque a consciência armazém é tanto individual quanto coletiva. Nós estamos sempre recebendo dados da consciência coletiva. Ao receber os dados positivos da consciência coletiva, as sementes da não discriminação, da compaixão e da alegria dentro de nós serão regadas todos os dias. Uma das formas mais eficazes para transformar a consciência chamada mana – a consciência que é preenchida de apegos e ilusões – é estar na presença de uma consciência coletiva positiva.

Os quatro elementos do amor

Quando você está cercado por outros que caminham em plena atenção, é muito mais fácil para você caminhar em plena atenção também. Você se permite ser sustentado e ser transportado pela energia coletiva da *Sangha*. E, na *Sangha*, não somos mais uma entidade separada, não somos mais apenas indivíduos, nos tornamos uma célula do corpo *Sangha*. Nós estamos na mesma frequência.

É maravilhoso praticar numa *Sangha* com membros que possuem profunda experiência da prática, porque, quando você os vê, quando você entra em contato com eles, você se inspira pelo desejo de fazer como eles fazem. Há aqueles que vivem de uma forma muito simples, que não precisam gastar muito dinheiro, que comem com simplicidade, que possuem moradia e meio de transporte simples. Estas pessoas são realmente felizes, profundamente felizes. Elas são livres

O hábito da felicidade

o suficiente para serem felizes, elas são alegres o suficiente, porque a vida delas possui um significado. A cada dia elas podem ser algo, elas podem fazer algo em consideração aos outros, incluindo os irmãos e irmãs no Darma. Alegria e felicidade são possíveis e nós não precisamos de muito dinheiro, fama ou poder. Viver em plena atenção, ajudar a construir fraternidade, tornar-se um refúgio para outros, são coisas que trazem para você muita alegria, muita felicidade.

Quando nos tornamos cientes de algo e a plena atenção está completamente presente, podemos praticar o olhar profundamente o objeto de nosso conhecimento e, assim, tocar a natureza do não eu, a natureza do entre-ser, da interdependência entre tudo. Durante esta meditação, o elemento do *insight* é canalizado para a consciência armazém. Esta é a chuva da sabedoria que irá nutrir a semente da sabedoria e da compaixão e enfraquecer as sementes dos autocomplexos, do autoamor e da ignorância. Em muitos livros de autoajuda, o autoamor é considerado um fundamento para a felicidade. Mas, no budismo, o autoamor é uma expressão de discriminação. "Isto sou eu, isto não sou eu. Eu somente cuido de mim mesmo. Eu não preciso cuidar dos elementos não eu." Quando a plena atenção intervém na consciência da mente, a sabedoria concomitante, que é canalizada para a consciência armazém, já existe na consciência armazém. Você precisa somente regar e deixar que ela se manifeste. Isto é a sabedoria da não discriminação, que surge do *insight* do entre-ser, do não eu. Desta forma, haverá a sabedoria da não discriminação que irá tomar decisões lá embaixo, na consciência armazém. Isto será um substituto para o pensamento. Com a prática, o pensamento será transformado pouco a pouco para se tornar a sabedoria da não discriminação. Quando a sabedoria da não discriminação está presente, a imagem ilusória que a consciência mana possui sobre a consciência armazém irá se desintegrar. Não haverá mais discriminação ou apego e o amor se tornará ilimitado.

Corpo e mente em harmonia

Os quatro elementos do amor verdadeiro são: *maitri* (amizade), *karuna* (bondade amorosa), *mudita* (alegria) e *upeksha* (equanimidade). O último elemento, *Upeksha*, é não discriminação. Seu amor, que é caracterizado pela não discriminação, é o amor de um buda. O amor que ainda é caracterizado pela discriminação irá criar sofrimento para você e para a outra pessoa. Ao cultivar a não discriminação, *Upeksha*, nosso amor se torna amor verdadeiro, o amor do Buda. Com a prática, o pensamento é transformado pouco a pouco até que é substituído inteiramente pela sabedoria da não discriminação, *nirvikalpajñana*. O amante se torna o verdadeiro amante. Nós não perdemos o amante. Nós substituímos o falso amante por um verdadeiro amante. E um verdadeiro amante sempre possui a qualidade da não discriminação, porque um verdadeiro amante possui *insight*. Ele sabe que um verdadeiro eu é formado por elementos não eu e, com o intuito de cuidar do eu, você tem que cuidar do que é não eu. Então, em vez de falar sobre autoamor como essência da felicidade, nós podemos falar do não eu como a chave para a felicidade. Este é o papel da prática.

8

Caminhando com os pés de Buda

Na minha primeira visita à Índia, tive a oportunidade de subir a Montanha Gridhrakuta, nas redondezas de Rajagrha, que era a capital de Magadha nos tempos do Buda. Esta é a montanha que o Buda costumava subir para contemplar o pôr do sol. Eu me lembrei desta história. Um dia, Sidarta estava caminhando para a coleta de donativos na cidade. Isto foi antes de ele ter se tornado completamente iluminado, ou seja, antes de ter se tornado o Buda. O Rei Bimbisara estava sentado em sua carruagem real e viu aquele monge caminhando de forma tão bela, com dignidade e liberdade. Ele era uma pessoa muito educada, por isso não parou o monge. Depois que ele foi para casa, no palácio, ele deu uma ordem para descobrirem quem era aquele monge. Ele ficou muito impressionado pela visão de Sidarta caminhando como um monge em sua própria capital.

Depois de alguns dias, seus guardas identificaram Sidarta e onde ele morava. Então, o Rei Bimbisara fez uma viagem até o lugar onde Sidarta habitava. Ele deixou sua carruagem no pé da montanha e a subiu para ver Sidarta. Durante a conversa entre eles, o Rei Bimbisara falou: "Seria maravilhoso se você aceitasse ser meu professor. Com a sua presença, o reino se tornaria bonito. E se você quisesse, eu dividiria o reino em duas partes e ofereceria metade para você".

Sidarta sorriu e falou: "Bem, meu pai queria me deixar um reino, mas eu não aceitei. Agora, por que eu deveria aceitar metade de um reino aqui? Minha proposta é praticar para obter liberdade e para ajudar

Corpo e mente em harmonia

as pessoas. Não posso ser o professor nacional agora, porque eu não atingi total iluminação. Mas eu prometo que, quando atingir, eu voltarei para ajudar você". Depois disto, Sidarta deixou a montanha. Ele sabia que as pessoas estavam cientes da sua presença lá. Então, na manhã seguinte, ele deixou a cidade de Rajagrha e foi para a floresta ao norte, para continuar a sua prática e a sua jornada em direção a iluminação.

O Buda se lembrou da promessa que fez ao Rei Bimbisara e, um ano depois de alcançar a iluminação, voltou para a cidade de Rajagrha para visitar o rei e compartilhar seus ensinamentos. Mas ele não estava só agora, ele estava acompanhado de mais de mil monges, o Buda era um rápido formador de *Sangha*. Muito rapidamente, havia quase mil e duzentos monges seguindo o Buda.

Ele tomou cuidado para treinar os monges de maneira apropriada na plena atenção, antes de levá-los para a capital de Rajagrha. Os monges aprenderam como caminhar, como sentar, como se levantar e como ir para a coleta de donativos em estado de plena atenção. Não é fácil treinar mais de mil monges para se moverem por aí, em plena atenção. Quando o treinamento estava completo, eles retornaram para Rajagrha. Eles ficaram em um pequeno bosque de palmeiras. As palmeiras eram ainda muito jovens, mas era um pequeno bosque de palmeiras muito bonito. Os mil monges se dividiram em grupos de vinte ou trinta e foram para a cidade de Rajagrha para a coleta de donativos. As pessoas ficaram muito impressionadas na primeira vez que viram o grupo de monges caminhando sob o estado de plena atenção, com dignidade, com liberdade, com alegria. E, muito rapidamente, as notícias, sobre Sidarta ter retornado, chegaram ao rei. Aquele dia ele trouxe muitos amigos, ministros e membros da família para o pequeno bosque de palmeiras para visitar o Buda. O Buda proferiu para eles uma maravilhosa fala Darma e prometeu visitar o rei no palácio dele.

Caminhando com os pés de Buda

Levou uma quinzena para o rei preparar a recepção para a *Sangha*. Naquele dia, todos na cidade sabiam que o rei iria receber os monges. Milhares de pessoas foram às ruas para saudar os monges. Houve momentos em que a *Sangha* não conseguia avançar, porque havia muitas pessoas na rua. Havia um jovem cavalheiro, um cantor, que surgiu dentre a multidão e começou a cantar belamente músicas louvando o Buda, o Darma e a *Sangha*. Foi realmente um festival e tanto, e um belo dia.

Nos tempos antigos, os reis estavam sempre cientes da presença de um mestre espiritual dentro do reino deles, e eles convidavam este professor para embelezar e santificar o reino com a presença deles. É por esta razão que o Rei Bimbisara tentou de tudo para manter o Buda no reino dele. Ele queria possuir o Buda e a *Sangha* dele. Políticos são assim. A primeira coisa que ele fez foi oferecer ao Buda e à *Sangha* um pequeno bosque de bambu na vizinhança da capital. O pequeno bosque de bambu era grande o suficiente para dar moradia para um mil duzentos e cinquenta monges e para o Buda.

O rei também deu ao Buda a Montanha Gridhrakuta. No primeiro ano em que o Buda esteve lá, o único caminho para a montanha era um caminho natural por meio do matagal. Mas, depois, o Rei Bimbisara ordenou que fosse construído um caminho com pedras. O caminho de pedras construído pelo Rei Bimbisara está lá até hoje. Se você for para Rajagrha – o novo nome é Rajgir – você pode ter o prazer de subir a montanha por este caminho. Você também pode visitar o bosque de bambus, onde o governo restaurou diversas variedades de bambus antigos.

O Rei Bimbisara costumava visitar o Buda e ele sempre deixava sua carruagem no pé da montanha e subia a montanha. Leva tempo para subir. Eu não sei se o rei havia aprendido a meditação em caminhada ou não. Na primeira vez que subi a Montanha Gridhrakuta, eu estava

Corpo e mente em harmonia

acompanhado por vários amigos, incluindo Maha Ghosananda[10]. Eu estava praticando a caminhada atento e apreciando cada passo que eu dava, porque eu estava ciente de que esse era o caminho onde o Buda caminhava. Ele subia e descia o caminho milhares de vezes. Todo dia ele usava o caminho. Então, nós estávamos muito atentos. Nós apreciávamos profundamente, porque sabíamos que as pegadas do Buda estavam lá. Nós subíamos cerca de vinte passos e, então, sentávamos e apreciávamos nossa respiração e olhávamos em volta e, depois, levantávamos e subíamos mais vinte passos. Uma vez que eu estava acompanhado por um grupo de pessoas, a cada parada como esta eu proferia uma fala Darma de três minutos e, depois disso, nós voltávamos a subir. Assim, quando nós chegamos ao topo, não estávamos cansados de forma alguma, nem um pouco. Nós sentimos a energia do Buda muito fortemente enquanto subíamos pelo caminho e enquanto ficamos sentados no pico da Montanha Gridhrakuta. Naquele dia, nós praticamos sentados no pico da montanha e contemplando o pôr do sol. Eu estava ciente de que o Buda havia sentado da mesma forma muitas vezes e que ele também viu aquele pôr do sol maravilhoso. Eu estava usando os olhos do Buda para apreciar o belo pôr do sol. Os olhos do Buda haviam se tornado meus olhos e nós olhamos para aquele belo pôr do sol juntos.

Se você tiver uma oportunidade de ir para lá, eu sugiro que você vá muito cedo pela manhã, quatro horas da manhã, e, ainda, pode contratar um policial para ir com você – é mais seguro, porque no escuro há muitas pessoas pobres. O policial que eu chamei não carregava nada na mão, nem mesmo um cassetete. A arma dele eram os olhos, porque ele conhecia cada um na vizinhança. Se ele reconhecesse um ladrão, o ladrão acabaria na cadeia. Nós tivemos que pagar para ele somente um pouco de dinheiro e ele ficou conosco o dia inteiro. Depois do pôr

---

[10] Maha Ghosananda é o patriarca budista do Camboja.

do sol, quando ficou escuro, nós pudemos descer em segurança com ele nos acompanhando.

Imagine um dia inteiro subindo e sentando no topo da montanha. Você pode preferir meditar sentado ou meditar caminhando lá em cima, no topo da montanha. Você pode preferir almoçar em plena atenção lá. Não há privada ou banheiro, então você tem que usar o banheiro natural. A primeira vez que eu usei o banheiro lá em cima, eu tinha ciência de que o Buda havia feito o mesmo.

A energia da plena atenção

É possível caminhar com os pés do Buda. Nossos pés, com o poder da energia da plena atenção, tornam-se os pés do Buda. Você não pode dizer: "Eu não consigo caminhar com os pés do Buda, eu não tenho os pés dele". Não é verdade. Os seus pés são os pés do Buda, e, se você realmente quer usá-los, você pode, só depende de você. Se você trouxer a energia da plena atenção para os pés, eles se tornarão os pés do Buda e você caminha para ele. Isto não demanda algum tipo de fé cega. Isto é muito claro. Se você é habitado pela energia da plena atenção, você age como um buda, fala como um buda, pensa como um buda. Este é o buda em você. Isto é algo que você pode vivenciar, não é uma teoria.

A prática do sentar em paz e da caminhada em paz é muito fundamental no Plum Village. Nós aprendemos a sentar de forma a viabilizar a vivência da paz durante todo o tempo do sentar. Nós aprendemos a caminhar de uma forma para que, durante todo o tempo da caminhada, haja paz. E nós contamos com nossa plena atenção, com nossa concentração para fazer isto. Nós também nos beneficiamos da energia coletiva da plena atenção da *Sangha* para fazer isto. Se nós tivermos sucesso em um dia, nós poderemos ter sucesso outro dia e assim por diante. Nós temos que ser determinados para sermos

Corpo e mente em harmonia

bem-sucedidos nesta prática. Durante a meditação em caminhada, por exemplo, se formos capturados por um pensamento, se pensarmos sobre o que temos que fazer quando formos para casa, nós perderemos a caminhada e a oportunidade. Nós estamos caminhando com a *Sangha*, mas não estamos realmente lá. Não somos capazes de nos estabelecer no aqui e agora, e, desta forma, não conseguimos dar um passo em paz e feliz. Ou, se estamos preocupados com alguma coisa ou se estamos bravos com alguém, não somos capazes de dar passos em paz e perdemos tudo.

Nós sabemos que, enquanto caminhamos, podemos não estar livres. A caminhada é uma prática que nos liberta. Nós deveríamos caminhar como uma pessoa livre. A liberdade possibilita que a paz e a felicidade estejam conosco. Nós temos que investir 100% de nós mesmos em cada passo, para nos tornarmos livres. Se, enquanto caminhamos, somos capturados e surgem sentimentos de ira, preocupações ou pensamentos sobre o passado, sobre o futuro, sobre outros lugares, então nós não estamos livres. Não estamos realmente caminhando com a *Sangha*, pois estamos em outro lugar. Isto é um desperdício. Inspirando, nós podemos nos tornar cientes de que: eu não estou realmente aqui e eu me arrependerei disto depois. Eu tenho a oportunidade, mas não estou tocando as condições da felicidade que se baseiam no aqui e agora. Sou capaz de ser livre? Sou capaz de estar em paz exatamente aqui, exatamente agora? Nós perguntamos estas questões. Nós nos desafiamos. Porque se você não está livre, se você não consegue ser livre agora, então você pode não se libertar depois. Assim, você tem que ser determinado para ser livre exatamente aqui e exatamente agora. Apesar da formação mental da preocupação ou da ira surgirem de forma intensa, nós sabemos, profundamente, em nós mesmos, que há a semente da liberdade e há a semente da paz dentro de nós, e devemos fazer algo para que as sementes da paz e da liberdade se manifestem. Nós não somos apenas a preocupação e a ira dentro de nós; nós somos mais do que nossa preocupação e nossa ira. Cada pessoa tem que encontrar maneiras eficazes para se libertar.

Os *insights* da impermanência e do não eu

Quando nós temos um *insight*, somos capazes de ver a verdadeira natureza da impermanência. Frequentemente, nós nos esforçamos tanto para fazer com que as coisas sejam estáveis em nossa vida, que a simples ideia da impermanência nos traz ansiedade. Mas se nós olharmos profundamente para a natureza da impermanência, talvez possamos, na verdade, achar que ela é muito reconfortante.

Quando você dá um passo, você pode visualizar que a sua mãe está dando aquele passo com você. Isto não é algo difícil porque você sabe que os seus pés continuam os pés da sua mãe. Ao praticarmos o olhar profundo, vemos a presença de nossa mãe em cada célula de nosso corpo. Nosso corpo é também uma continuação do corpo de nossa mãe. Quando você dá um passo, você pode dizer: "Mãe, caminhe comigo". E, de repente, você sente a sua mãe em você, caminhando com você. Você pode perceber que, durante a vida dela, ela não teve muita chance de caminhar no aqui e no agora e apreciar o ato de tocar a terra como você. Então, repentinamente, a compaixão e o amor nascem. Isto ocorre porque você pode ver a sua mãe caminhando com você – nao como algo imaginário, mas como uma realidade. Você pode convidar o seu pai para caminhar com você. Você pode preferir convidar as pessoas que você ama para que caminhem com você no aqui e agora. Você pode convidar estas pessoas e caminhar com elas sem que elas precisem estar fisicamente presentes. Nós continuamos nossos antepassados, eles estão totalmente presentes em cada célula de nosso corpo. Então, quando damos um passo em paz, sabemos que todos os nossos antepassados estão dando este passo conosco. Esta

Corpo e mente em harmonia

prática, o uso da visualização, irá destruir a ideia e o sentimento de que você é um eu separado. Você caminha e eles caminham.

O Buda nos ofereceu muitas práticas para que possamos ser nós mesmos. O *insight* da impermanência é uma ferramenta que nós possuímos. O *insight* do não eu é outra. Afinal de contas, a pessoa com a qual estamos bravos pode ser nosso filho, pode ser nossa filha, pode ser nosso parceiro e a felicidade dele ou dela é a nossa própria felicidade. Se esta pessoa não está feliz, não posso estar feliz. Eu não quero ser duro com ele ou com ela. Então, eu devo ser pacífico, eu devo ser feliz, porque sendo bravo eu não me ajudo e, também, não ajudo esta pessoa. Se eu sofro, não há como esta pessoa ser feliz. Ele não é um eu separado e eu não sou um eu separado, nós entre-somos. Quando você usa a ferramenta do não eu e você toca a natureza do entre-ser, de repente, você supera a sua ira e você é capaz de dar um passo em paz e feliz.

Caminhando na Terra Pura

Se você está caminhando com os pés do Buda, você está caminhando no céu, você está caminhando na Terra Pura a cada passo. A prática do Plum Village é caminhar na Terra Pura do Buda todo dia. Cada vez que você se move, seu pé toca a Terra Pura do Buda. Isto está escrito em um de nossos cânticos diários: *Cada passo me ajuda a tocar a Terra Pura*. Esta é a prática. Outro verso: *Eu prometo tocar a Terra Pura a cada passo que eu der.* Estes cânticos não são apenas mais uma oração, mas também um guia, um lembrete da prática. Você pode fazer isto, você sabe que pode fazer isto. Com a plena atenção, você se torna ciente de seu passo e você toca a Terra Pura com todas as maravilhas dela. Um passo como este gera liberdade, alegria e cura. Nós todos sabemos que a meditação em caminhada é feita para apreciarmos a caminhada no Reino de Deus, na Terra Pura do Buda e

Caminhando com os pés de Buda

caminhar desta forma pode transformar, pode curar, pode gerar muito amor interior. Nós caminhamos não apenas para nós mesmos, nós caminhamos para nossos pais, nossos antepassados e para aqueles que estão sofrendo no mundo. A Terra Pura é algo que nós trazemos conosco onde quer que estejamos – uma Terra Pura portátil. Esta é a melhor coisa que você pode oferecer para as pessoas que você encontra. Ofereça para elas nada menos que a Terra Pura ou o Reino de Deus. Você é um *bodhisattva*, este é o tipo de presente que vale a pena oferecer para as pessoas que estão ao seu redor.

Consciência humana

Há cerca de um milhão e meio de anos, os humanos começaram a se levantar sobre os pés, e as mãos foram liberadas. Uma vez tendo liberado as mãos, os cérebros dos humanos começaram a se desenvolver muito rapidamente. A natureza do Buda é herdada do homem primitivo, apesar de o Buda ter aparecido na Terra somente há dois mil e seiscentos anos. Nós aprendemos, a partir dele, que outros budas apareceram antes dele, como o Buda Dipankara e o Buda Kashyapa.

Há uma raça de seres humanos que é capaz de gerar a energia da plena atenção todos os dias. E nós pertencemos a esta raça, "*Homo Sapiens* consciente". Nós todos pertencemos à família do Buda, porque nós somos capazes de gerar a energia da plena atenção, que nos habita vinte e quatros horas por dia. Os budas são aquelas criaturas que vivem em plena atenção vinte e quatro horas por dia. No começo, nos tornamos budas em tempo não integral e, na medida em que continuamos a praticar, nos tornamos budas por tempo integral. Nós aprendemos a não discriminar, pois compreendemos que *todos* possuem a semente da natureza do Buda. Cada não Buda possui a natureza do Buda. Esta é a razão para sermos livres de discriminação racial. A nossa

Corpo e mente em harmonia

prática é ajudar a natureza do Buda a se manifestar no maior número de pessoas possível, porque o despertar coletivo é a única coisa que pode nos encorajar a sair da presente situação de dificuldade. Depois da iluminação, o Buda já sabia que tinha que compartilhar a prática com muitos outros. Buda significa "aquele desperto", aquele que é consciente. Durante os quarenta e cinco anos de ministério, o Buda sempre ajudou outras pessoas a despertarem, a se tornarem atentas. Ele sempre ensinou que o caminho da plena atenção, da concentração e do *insight* é o caminho da libertação, o caminho da felicidade.

Os sete passos maravilhosos

A tradição fala que, quando o Buda nasceu, ele deu sete passos – ele praticou a meditação em caminhada imediatamente. Sidarta começou a caminhar assim que ele saiu do ventre de sua mãe. Sete é um número sagrado, então, nós podemos interpretar isto como os Sete Fatores para a iluminação e assim por diante. Quando nós celebramos o aniversário do Buda, a melhor forma de celebrar é dando sete passos verdadeiros. Eu sempre penso que é maravilhoso estar aqui, presente neste planeta e dar passos. É a coisa mais maravilhosa para se fazer. Você não tem que fazer nada – apenas aprecie caminhar sobre este planeta. Os astronautas do Apollo tiveram a possibilidade de tirar uma foto da Terra de longe e nos enviaram. Foi a primeira vez que nós vimos a Terra de longe – muito bonita – uma fortaleza da vida. A Terra é a nossa Terra Pura. É maravilhosa.

Se você estivesse na expectativa de viajar para o espaço, veria que a vida é algo muito raro. O ambiente do espaço é hostil, por ser muito quente ou muito frio, ele torna a vida impossível. Voltando para a Terra, você sentiria que é maravilhoso ver vida novamente – ver plantas e animais, tocar a grama com os pés, contemplar as flores pequenas, ouvir os pássaros, escutar o vento nos galhos de pinheiros, observar

Caminhando com os pés de Buda

um esquilo subindo e descendo uma árvore, inspirar e expirar, entrar em contato com o ar fresco e tocar a terra com os pés. Muitos precisam se afastar por sete dias para apreciar nossa Terra Pura ao voltar para casa. Muitos têm isto como certeza. Com a plena atenção, você estará atento ao fato de que estar presente, estar vivo na Terra e estar dando passos neste planeta bonito é um verdadeiro milagre. Mestre Lin Chi disse que o milagre não é caminhar sobre a água ou no ar rarefeito, mas o milagre é caminhar sobre a Terra. Todos podem realizar o milagre de caminhar sobre a Terra, todos nós podemos dar sete passos. Se nós formos bem-sucedidos poderemos dar o oitavo passo ou o nono. Com a energia da plena atenção, nossos pés se tornam os pés do Buda. Gerar a energia da plena atenção não é difícil. A prática da inspiração atenta gera a energia da plena atenção. E, com este poder, a energia da plena atenção, nós damos poder para os nossos pés e os nossos pés se tornam os pés do Buda. Quando você caminha com os pés do Buda, o lugar por onde você anda é a terra do Buda. Qualquer que seja o lugar onde o Buda está, a terra do Buda está lá, a Terra Pura está lá. O Reino de Deus sempre está disponível no aqui e no agora, a Terra Pura do Buda sempre está disponível. A questão é se nós estamos disponíveis para o Reino? Nós estamos abertos para a Terra Pura? Talvez nós estejamos muito ocupados para apreciar a Terra Pura, o Reino de Deus. Talvez esta seja a razão para o bebê Sidarta ter desejado demonstrar que ele podia começar a andar na Terra Pura imediatamente depois de ter nascido.

Quando nós nos refugiamos no Buda, no Darma e na *Sangha*, quando nós recebemos os cinco treinamentos da plena atenção, nós nascemos novamente em nossa vida espiritual, e, como Sidarta, nós podemos dar sete passos com sucesso. Passo um, tocar a Terra. Passo dois, sentir o céu na Terra, e assim por diante. Você precisa de somente sete passos para conseguir iluminação. A iluminação pode ser

Corpo e mente em harmonia

percebida a cada momento de nossa vida diária. Dar-se conta de que você está vivo e caminhando sobre a Terra – isto já é iluminação. Nós deveríamos reproduzir este tipo de iluminação todos os dias. Caminhar no Reino de Deus, caminhar na Terra Pura do Buda, é uma alegria – é muito renovador, traz muita cura. Nós sabemos que nós podemos fazer isto, mas, muito frequentemente, não fazemos. Nós precisamos de um amigo ou de um professor para nos lembrar.

Qualquer um pode praticar a inspiração atenta e produzir a plena atenção. Qualquer um pode dar um passo em plena atenção e tocar a Terra em plena atenção, tocar o Reino de Deus em plena atenção. Há aqueles que precisam viajar para o espaço para serem capazes de apreciar a Terra. Nós temos a tendência de assumir que as coisas são certezas. Nós não valorizamos o que já está aqui. Há tantas condições para a felicidade e para o bem-estar disponíveis para nós, mas não somos capazes de entrar em contato com elas. O ensinamento do Buda visa nos ajudar a sermos atentos, para sermos atentos aos fatos de que existimos e o céu ainda é azul, de que as árvores e o rio ainda existem, e de que nós podemos apreciar cada minuto de nossa vida diária, de tal forma que nossa continuação terá mais oportunidades. A plena atenção possibilita que cada momento de nossa vida se torne um momento maravilhoso. Este é o maior presente que nós podemos dar para nossos filhos. Quem são nossos filhos? Nossos filhos somos nós mesmos, porque nossos filhos são a nossa própria continuação. Então, cada momento da nossa vida diária pode se tornar um presente para nossos filhos e para o mundo.

Com os pés do Buda

A primeira vez que eu fui à Índia, quando nosso avião estava se preparando para pousar na cidade de Patna, tive quinze minutos para contemplar a vista lá de cima, do avião. Pela primeira vez, eu vi o Rio Ganges. Como iniciante, eu havia aprendido e ouvido falar sobre o Rio Ganges, por muitas vezes, para poder contar. Nos tempos antigos, Patna era chamada de Pataliputra. Foi a capital de Magadha, depois da morte do Buda. Sentado no avião, eu olhei para baixo e vi as pegadas do Buda um pouco em todos os lugares seguindo o Rio Ganges. É certo que o Buda caminhou indo e vindo muitas vezes, ao longo do rio, e havia muitos reinos que ficavam nas proximidades do rio. Foi muito comovente. Quinze minutos para contemplar, visualizar e ver o Buda caminhando com dignidade, liberdade, paz e alegria. Ele caminhou desta forma por quarenta e cinco anos, levando sua sabedoria e compaixão e compartilhando sua prática de libertação com tantas pessoas – as pessoas mais poderosas da sociedade, como reis e ministros, e as pessoas mais excluídas da sociedade, como os intocáveis, lixeiros e assim por diante.

O Buda amava caminhar. Ele caminhava muito. Em seu tempo, não havia carro, trem ou avião. De vez em quando, ele usava um bote para descer ou atravessar um rio. Ele caminhava com seus amigos, com seus discípulos. Durante seus quarenta e cinco anos de ensinamentos, ele visitou e ensinou talvez quatorze ou quinze países da Índia Antiga e do Nepal. É claro que o Buda apreciava meditar sentado, mas ele também apreciava meditar caminhando.

Se você for para a Índia visitar Benares, e se, de lá, você desejar visitar Nova Délhi, você tem que voar. Mas o Buda caminhava até Délhi. Durante a estação chuvosa de três meses, o Buda ficava em um lugar para aguardar pelo Retiro das Chuvas com outros monges. Mas, durante os outros meses do ano, o Buda gostava de ir aqui e ali, para encontrar pessoas e ajudá-las a praticar. O leigo Anathapindika, aquele que ofereceu ao Buda o Parque Jeta, tinha uma filha, Sunanagada, que era casada com um lorde que vivia na área de Bengala. Um dia, a filha

Corpo e mente em harmonia

de Anathapindika convidou o Buda para ir ao lugar onde ela morava. Ele caminhou para a costa leste da Índia com quinhentos monges. Ele apreciou esta costa e proferiu muitos ensinamentos lá. Ele passou mais de vinte Retiros das Chuvas no Mosteiro Jeta. Ele foi para o norte, onde se localiza atualmente Nova Délhi. E, frequentemente, ele ia para o oeste. O rei de Avanti queria convidar o Buda para ir até a costa oeste, mas ele mandou dois discípulos com senioridade em seu lugar. Um deles era Mahakatyayana e o outro era Shonakutivimsa. Mahakatyayana era um professor Darma habilidoso e eloquente. Eles foram para a costa oeste e formaram muitos centros de prática lá. As condições nesta costa eram diferentes, então, estes dois monges pediram para que o Buda modificasse alguns dos preceitos, para que o ensinamento pudesse ser mais facilmente praticado na costa oeste. Os preceitos em questão tinham a ver com sapatos. Os monges na costa oeste eram autorizados a usar sapatos de diversas camadas para proteger os pés e também a sentar sobre a pele de animais mortos para se proteger da umidade e das pedras. As condições de vida eram mais severas lá.

Havia um mercador rico da costa oeste que encontrou o Buda em Shravasti e que desejava se tornar um monge. Depois de se tornar um monge e um bom praticante, ele quis voltar para casa, na costa oeste, e montar uma comunidade. O nome dele era Puñña. Um diálogo famoso entre o Buda e Puñña foi registrado. O Buda falou: "Eu ouço dizer que o povo do oeste não é muito gentil e se irrita muito facilmente. Quando você for para lá, o que você faria se eles gritassem com você?"

E o Monge Puñña falou: "Bem, Senhor, se eles gritassem comigo eu diria que eles ainda são compassivos, porque não jogaram pedras em mim".

"Mas e se eles jogassem pedras?"

"Senhor, eu ainda pensaria que eles são compassivos o suficiente, porque não estariam batendo em mim com varas."

Caminhando com os pés de Buda

"Mas e se eles usassem varas?"

"Então, eu ainda pensaria que eles são compassivos, porque não estão usando facas para me matar."

E Buda falou: "E se eles usarem uma faca e matarem você?"

"No caso de eu morrer em nome do Darma, eu ficarei muito feliz. Eu não estou com medo. Minha morte também seria um ensinamento."

E o Buda falou: "Bom, você está pronto para ir".

Então o venerável Puñña recebeu o apoio do Buda e da comunidade e foi para a costa oeste. Ele fundou um mosteiro que chegou, eventualmente, a ter quinhentos monges.

Quando nós caminhamos em plena atenção, nossos pés se tornam os pés do Buda. Atualmente, nós podemos ver os pés de Buda caminhando não apenas para a costa oeste da Índia, mas também para a África, para a Austrália, Nova Zelândia, Rússia e América do Sul. Os seus pés se tornaram os pés do Buda. Porque você está lá, o Buda pode ir para qualquer lugar. Onde quer que você esteja, seja na Holanda, Alemanha, Israel ou Canadá, você caminha para o Buda. Você é um amigo do Buda, um discípulo do Buda, uma continuação do Buda. Graças a você, o Buda continua a caminhar e a tocar a terra em todos os lugares. Cada passo que você dá pode trazer solidez, liberdade e alegria. Com os pés do Buda, podemos levar o Buda para as áreas mais remotas, para favelas ou para áreas empobrecidas do interior, onde há fome e discriminação social. Você pode levar o Buda para as prisões. Você torna o Darma disponível para todos. Eu acho extremante maravilhoso ser uma continuação do Buda. Você sabe que pode fazer isto, você pode ser a continuação do Buda – é fácil. Você simplesmente respira, simplesmente caminha e você pode continuar o Buda. Quando você faz isto, cada momento de sua vida diária se torna um milagre.

Corpo e mente em harmonia

Este é o maior presente que você pode dar para as gerações futuras. Você não precisa de muito dinheiro, fama ou poder para ser feliz. Nós precisamos da plena atenção para nossa felicidade. Nós precisamos de liberdade – ficar livres de nossas preocupações, de nossos desejos ardentes, de nossas ansiedades – assim, nos tornamos aptos a entrar em contato com as maravilhas da vida que estão disponíveis no aqui e agora. Isto pode ser feito, tanto individualmente e com o suporte da *Sangha*. Para todos os lugares que você for poderá levar o Buda consigo, porque você é uma continuação do Buda. Você pode montar uma *Sangha* para dar apoio para a sua prática em todos os lugares que você for e, então, o Buda pode ficar lá por um bom tempo e terá chance de seguir adiante um pouco mais.

Tocando a terra

Caminhar é uma forma de tocar a terra. Nós tocamos a terra com nossos pés e nós curamos a terra, nós nos curamos e curamos a humanidade. Quando você tiver cinco, dez ou quinze minutos sobrando, aprecie caminhar. A cada passo é possível trazer cura e nutrição para nosso corpo e nossa mente. Cada passo dado em plena atenção, com liberdade, pode nos ajudar a curar e transformar e, então, o mundo terá se curado e se transformado conosco.

Apenas inicie como o bebê Buda e comece com os sete passos. Nós nos trazemos para casa, para o aqui e agora, e damos um passo: "Tocando a Terra, eu sei que este planeta é maravilhoso". Ao dar o segundo passo, seu *insight* se torna mais profundo: "Não estou apenas tocando a Terra, mas também estou tocando o céu que está na Terra, eu toco a natureza do entre-ser". E, com o terceiro passo, você pode tocar todos os seres vivos, incluindo seus antepassados e as crianças que pertencem ao futuro. A cada passo, nos tornamos mais iluminados. Caminhar desta forma não é um trabalho difícil, mas é para produzir a plena atenção, a concentração e o *insight* que são as fontes para o bem-estar e para a felicidade. Você quer ser um praticante? É fácil. Apenas caminhe atenciosamente como o bebê Buda, no aqui e agora, totalmente atento às maravilhas da vida que estão disponíveis.

A prática do tocar a terra tem muito poder de cura. É uma forma de você poder ter uma conversa direta com o Buda[11]. Depois de três ou quatro minutos conversando com o Buda, praticamos o tocar a terra não apenas com nossos pés, mas também com nossas duas mãos e com nossa testa, tocamos a terra com cinco pontos. Nós nos rendemos à Terra, nos tornamos um com ela e a convidamos e permitimos que ela nos abrace e nos cure. Nós não temos mais que suportar nossos sofrimentos sozinhos. Pedimos para a Terra, como nossa mãe, para nos segurar, para segurar nossos sofrimentos e, então, nós recebemos cura e transformação.

Eu espero que, cada um de vocês, venha a praticar isto de duas maneiras. Primeiro, vá para perto de uma árvore de ameixas ou para qualquer lugar que você goste e pratique tocar a terra isoladamente. Você respira e fala com o Buda, usando o texto, e você pode acrescentar as coisas que estiver sentindo em seu coração. Depois de dois ou três minutos de conversa com o Buda, você pratica tocar a terra. Você também pode praticar coletivamente com a sua família ou a sua *Sangha*. Mesmo depois de praticar apenas da primeira vez, você pode ver claramente a transformação e a cura. Não pode ser de outra forma. É como comer. Quando você come, recebe a nutrição do alimento. Não há dúvidas sobre isto. Tenho certeza de que depois de uma ou duas semanas praticando, haverá transformação e cura, não apenas para nós, mas também para as pessoas que carregamos conosco.

---

[11] Ver HANH, Thich Nhat. *Touching the Earth*. Berkeley, CA: Parallax Press, 2004.

Corpo e mente em harmonia

O Buda não pertence ao passado, o Buda não pertence ao presente. Ao celebrarmos o Festival de Wesak, deixamos o Buda nascer dentro de nós. Você deve fazer a pergunta: "Quem é o Buda?" E você deve ser capaz de responder: "Eu sou o Buda" – porque com plena atenção e concentração você se torna o Buda. Você sabe que você quer dar continuidade ao trabalho dele.

Um corpo, muitos corpos

O Buda possui um ensinamento sobre o *Bodhisattva* Matriz Diamante, Vajragarbha. Ele estava pregando o ensinamento do entre-ser. Depois de ter finalizado o ensinamento, repentinamente, muitos, muitos *bodhisattvas* vieram das dez direções e cada um deles se parecia exatamente como Vajragarbha. Eles chegaram até ele e disseram: "Caro *Bodhisattva* Vajragarbha, nós também somos chamados de Vajragarbha e nós também pregamos o ensinamento do entre-ser em todos os lugares". E, então, de repente, todos os budas de todos os cantos do universo estenderam a mão com seus braços muito longos e encostaram a mão na cabeça de Vajragarbha e disseram: "Bom, bom, meu filho, você fez muito bem em transmitir o ensinamento do entre-ser". Apesar de haver incontáveis budas estendendo as mãos com seus longos e longos braços, não houve colisão entre as mãos.

Eu penso que isto significa que, quando você está fazendo uma coisa boa em um lugar, sua boa ação terá repercussão, um efeito, em todos os lugares do cosmo. Não se preocupe se você sente que pode fazer apenas uma pequena coisa boa em um pequeno canto do cosmo. Apenas seja o corpo do Buda neste lugar específico. Se você estiver na França, apenas tome conta da França. Não se preocupe com outros lugares. Há outros corpos do Buda em outros lugares que estão fazendo a mesma coisa. Você tem que fazer isto bem-feito aqui, e seus corpos

Caminhando com os pés de Buda

transformados irão fazer isto bem-feito em outros lugares. Todo mundo possui corpos transformados, quer você acredite ou não.

Eu tenho estado fora do Vietnã. Mas muitos amigos meus que foram lá voltaram para casa e contaram que a minha presença neste país é muito clara, muito forte. Então, eu tenho muitos corpos transformados trabalhando lá. A cada pensamento que você produz, cada palavra que você profere, cada ato que você executa é lançado ao cosmo e eles fazem o seu trabalho lá fora. Você possui incontáveis corpos transformados que estão fazendo o seu trabalho. Então, assegure-se de que apenas os bons corpos transformados sejam lançados para muitas direções.

No Sutra Lótus, o Buda revelou para seus discípulos seus muitos corpos transformados. Antes disto, seus discípulos acreditavam que o professor estava apenas sentado lá, limitado no espaço e no tempo, movendo-se pelos países ao longo do Rio Ganges. Mas naquele dia, na Montanha Gridhrakuta, *Shakyamuni* pediu aos seus corpos transformados para virem das diferentes direções do cosmo. Os discípulos do Buda começaram a ver que seu professor não era apenas aquele corpo, aquele homem sentado na Montanha Gridhrakuta, porque ele tinha muitos corpos transformados. Eles podiam tocar seu professor na dimensão última, não somente na dimensão histórica. A prática é tocar você mesmo na dimensão última, tocar as pessoas amadas na dimensão última e, então, você fica livre do medo, do espaço e do tempo. Você sabe que possui inúmeros corpos em manifestação em todos os lugares. Eles irão continuar você, sempre. A desintegração deste corpo não significa que você cessa de existir. Você continua sob muitas formas. Os ensinamentos no Sutra Lótus irão contribuir para tocarmos a realidade em sua dimensão última, para termos uma visão mais clara sobre nós mesmos, sobre outras pessoas e sobre o mundo.

Você fez algo bom. Mas parece que ninguém sabe disto. Não se preocupe. Todos os budas do cosmo sabem sobre isto. Se você sabe

Corpo e mente em harmonia

como ver, você verá que todos os budas estão estendendo o braço para tocar a sua testa e eles estão falando: "Bem, bem, você está indo muito bem". Isto é o que o sutra tenta nos transmitir.

Hoje, se você for cortar legumes ou verduras, tente cortar com as mãos de seus antepassados, a mão do Buda. Porque o Buda sabe como cortar legumes e verduras – atenciosa e alegremente. Você faz isto pelo Buda, você faz isto por seus antepassados. Hoje, quando você praticar a meditação em caminhada, caminhe de forma tal que você possa ver que incontáveis pés estão dando o mesmo passo com você. Use o poder da visualização e você pode apagar as noções de eu e de entidades. Você transmite para a sua consciência armazém os elementos da sabedoria que irão ajudar a consciência armazém a tomar boas decisões por você, por todos nós.

Trazendo a *Sangha* com você

Cada um de nós irá continuar o Buda de forma própria. Se nós praticarmos a plena atenção e a concentração, nós sempre teremos o Buda, o Darma e a *Sangha* conosco todo o tempo, mesmo que a sociedade seja organizada, atualmente, de uma maneira que torna o viver difícil. Mas com a mente do amor, com determinação, nós seremos capazes de trazer a Terra Pura do Buda conosco e compartilhar com muitas outras pessoas. Se eu sobrevivi nos últimos trinta e nove anos foi porque sempre trouxe minha *Sangha* junto comigo. Com a *Sangha* em seu interior, você não resseca como uma célula separada.

De tempos em tempos, você pode desejar parar, durante uma caminhada ou enquanto cozinha ou dirige, e tocar a *Sangha* interior. Pergunte: "Cara Sangha, você ainda está aí dentro comigo?" E ouça a resposta dela: "Nós sempre estamos com você, estamos apoiando você. E não deixaremos você secar como uma célula separada".

Você terá energia para continuar ao estar atento à *Sangha* interior e ao seu redor. Cada um de nós se tornou uma tocha. Cada um de nós se tornou um elemento de inspiração de muitos outros, cada um de nós tem que ser um *bodhisattva*. Ser um *bodhisattva* não é algo espetacular. É a nossa prática diária.

É muito claro nos ensinamentos budistas que o Buda é um ser vivo. Se o ser vivo não está lá, o Buda não pode estar lá. Para ser um buda você precisa ser um ser vivo. Você precisa ser um buda para ser um ser vivo, porque estes dois são um. Se a natureza do Buda não estivesse em você, você não seria um ser vivo. Cada ser vivo possui a natureza do Buda. É possível respirar como um buda, caminhar como um buda, sentar como um buda, comer e beber como um buda. A prática da plena atenção nos ajuda a nos tornarmos um buda no aqui e agora. Se você está procurando pelo Buda de dois mil e seiscentos anos atrás, você irá perdê-lo. Mas se você inspirar e se tornar iluminado a respeito do fato de que você é o Buda, você é a continuação dele, então o Buda está disponível neste exato momento.

O final de uma jornada é o início da continuação. E eu espero, eu rezo para o Buda e para todos os *bodhisattvas* para que mantenham você protegido, saudável e feliz. Nós contamos com você, e o Buda conta com cada um de nós. Por favor, aprecie caminhar hoje. Apenas dê sete passos e veja o que acontece.

9

Exercício para a nutrição de um corpo buda e de uma mente buda

Apresento aqui alguns exercícios simples que você pode fazer para reforçar a conexão entre seu corpo buda e sua mente buda.

Meditação em caminhada[12]

> A mente pode ir para milhares de direções.
> Mas nesta bela trilha, eu caminho em paz.
> A cada passo, sopra um vento suave.
> A cada passo, uma flor desabrocha.

Meditação em caminhada significa meditar enquanto caminhamos. Nós caminhamos devagar, relaxadamente, mantendo um leve sorriso em nossos lábios. Quando nós praticamos desta forma, nos sentimos profundamente à vontade e nossos passos são aqueles da pessoa mais segura na Terra. A meditação em caminhada é feita, realmente, para se apreciar a caminhada – caminhar não com o objetivo de chegar, apenas por caminhar, para estar no momento presente e para apreciar cada passo. Para isto, você precisa se livrar de todas as suas preocupações, suas ansiedades, não pensar no futuro, não pensar no passado, apenas apreciar o momento presente. Qualquer um pode fazer isto. É necessário apenas um pouco de tempo, um pouco de plena atenção e o desejo de ser feliz.

---

[12] Extraído dos livros *The Long Road Turns to Joy.* Berkeley, CA: Parallax Press, 1996 e *Present Moment, Wonderful Moment.* Parallax Press, 1990.

Corpo e mente em harmonia

Nós caminhamos todo o tempo, mas, usualmente, a caminhada parece mais como correr. Nossos passos apressados imprimem ansiedade e aflição na Terra. Se nós pudermos dar um passo em paz, poderemos dar dois, três, quatro e, então, cinco passos para a paz e para a felicidade da humanidade.

Nossa mente se move rapidamente de uma coisa para outra, como um macaco balançando de um galho para outro, sem parar para descansar. Pensamentos possuem milhões de trilhas e somos sempre puxados para junto deles, para o mundo do esquecimento. Se pudermos transformar nossa trilha em um campo para meditação, nossos pés darão cada passo atenciosamente, nossa respiração estará em harmonia com nossos passos e nossa mente, naturalmente, ficará à vontade. Cada passo que dermos irá reforçar nossa paz e nossa alegria e irá causar uma corrente de energia calma, que flui através de nós. Então, poderemos dizer: "A cada passo, sopra um vento suave".

Enquanto caminha, pratique a respiração consciente, por meio do ato de contar os passos. Observe cada respiração e o número de passos que você dá, enquanto inspira e expira. Se você dá três passos durante uma inspiração, diga, silenciosamente: "Um, dois, três" ou "Inspirando, inspirando, inspirando", uma palavra a cada passo. Ao expirar, se você der três passos, diga: "Expirando, expirando, expirando" a cada passo. Se você der três passos ao inspirar e quatro passos ao expirar, diga: "Inspirando, inspirando, inspirando. Expirando, expirando, expirando, expirando" ou "Um, dois, três. Um, dois, três, quatro".

Não tente controlar a sua respiração. Dê aos seus pulmões o maior tempo e ar que eles necessitem e, simplesmente, observe quantos passos você dá enquanto seus pulmões se enchem e quantos enquanto eles se esvaziam, atento a ambos, à respiração e aos passos. A chave é a plena atenção.

Exercício para a nutrição de um corpo buda e de uma mente buda

Quando você caminha em uma subida ou em uma descida, o número de passos por respiração se altera. Sempre siga as necessidades de seus pulmões. Não tente controlar a sua respiração ou a sua caminhada. Apenas observe profundamente.

Quando você começa a praticar, sua expiração pode ser mais longa que a sua inspiração. Você pode perceber que leva três passos durante a sua inspiração e quatro passos durante sua expiração (3-4), ou dois passos/três passos (2-3). Se isto é confortável para você, por favor, aprecie praticar desta forma. Depois de ter feito a meditação em caminhada por algum tempo, suas inspirações e expirações irão provavelmente se igualar: 3-3 ou 2-2 ou 4-4.

Se você avistar algo no caminho que você deseja tocar sob o estado de plena atenção – o céu azul, as montanhas, uma árvore ou um pássaro – apenas pare, mas, enquanto faz isto, continue respirando atentamente. Você pode manter o objeto de contemplação vivo por intermédio da respiração atenta. Se você não respirar conscientemente, cedo ou tarde seus pensamentos irão voltar e o pássaro ou a árvore irão desaparecer. Sempre permaneça atento à sua respiração.

Quando você caminha, você pode desejar pegar na mão de uma criança. Ela irá receber a sua concentração e estabilidade e você receberá o frescor e a inocência dela. De tempos em tempos, ela pode querer correr e, então, esperar por você na frente. Uma criança é um sino para a plena atenção, lembrando-nos sobre como a vida é maravilhosa. No Plum Village, eu ensino aos jovens um verso simples para praticar enquanto caminham: "Sim, sim, sim", conforme eles inspiram e "Obrigado, obrigado, obrigado", conforme eles expiram. Eu quero que eles respondam à vida, à sociedade e à Terra de uma forma positiva. Eles apreciam muito isto.

Depois de você ter praticado por alguns dias, tente adicionar um passo a mais na sua expiração. Por exemplo, se sua respiração normal

Corpo e mente em harmonia

é 2-2, sem caminhar mais rápido, prolongue a sua expiração e pratique 2-3, por quatro ou cinco vezes. Então, volte para 2-2. Na respiração normal, nós nunca soltamos todo ar de nossos pulmões. Sempre há alguma sobra. Ao adicionar mais um passo para sua expiração, você irá empurrar para fora mais deste ar viciado. Não exagere. Quatro ou cinco vezes são o suficiente. Mais pode fazer você se cansar. Depois de respirar desta forma por quatro ou cinco vezes, deixe sua respiração voltar ao normal. Então, cinco ou dez minutos depois, você pode repetir o processo. Lembre-se de adicionar um passo à expiração, não à inspiração.

Depois de praticar por alguns dias mais, seus pulmões podem dizer a você: "Se nós pudéssemos fazer 3-3, no lugar de 2-3, seria ótimo". Se a mensagem é clara, tente, mas, mesmo assim, apenas faça por quatro ou cinco vezes. Então, volte ao 2-2. Em cinco ou dez minutos, comece o 2-3 e, então, o 3-3 novamente. Sua forma de respirar terá se transformado.

Quando nós praticamos a meditação em caminhada, chegamos a cada momento. Quando entramos no momento presente profundamente, nossos arrependimentos e mágoas desaparecem e nós descobrimos a vida com todas as suas maravilhas. Inspiração, nós dizemos para nós mesmos: "eu cheguei". Expiração, nós dizemos: "eu estou em casa". Quando fazemos isto, superamos a dispersão e habitamos em paz o momento presente, que é o único momento para nós estarmos vivos.

Você também pode praticar a meditação em caminhada usando as frases de um poema. No zen-budismo, poesia e prática sempre estão juntas.

> Eu cheguei
> Estou em casa
> No aqui

Exercício para a nutrição de um corpo buda e de uma mente buda

No agora
Eu sou sólido
Eu sou livre
Por último
Eu habito.

Enquanto você estiver caminhando, mantenha-se totalmente ciente do seu pé, do chão e da conexão entre eles, que é a sua respiração consciente. As pessoas falam que caminhar sobre a água é um milagre, mas, para mim, caminhar em paz sobre a Terra é o verdadeiro milagre. A Terra é um milagre. Cada passo é um milagre. Dar passos neste belo planeta pode trazer verdadeira felicidade.

Tocar a terra

A prática de tocar a terra busca o retorno para a terra, para as nossas raízes, para nossos antepassados e o reconhecimento de que não estamos sós, mas, na verdade, conectados a toda corrente de nossos antepassados espirituais e de sangue. Nós somos continuação deles e com eles nós iremos continuar nas futuras gerações. Tocamos a terra para deixar para trás a ideia de que somos separados e para lembrar que somos a Terra e somos parte da vida.

Quando tocamos a terra, nos tornamos pequenos, com a humildade e simplicidade de uma criança jovem. Quando tocamos a terra, nos tornamos grandes, como uma árvore antiga que envia suas raízes profundamente para dentro da terra e que bebe da fonte de todas as águas. Quando tocamos a terra, inspiramos toda a força e estabilidade da terra e expiramos nosso sofrimento – nossos sentimentos de ira, rancor, medo, inadequação e desgosto.

Nós juntamos as palmas de nossas mãos para formar um botão de lótus e, gentilmente, abaixamos em direção ao solo para que os nossos quatro membros, além de nossa testa, descansem confortavelmente

Corpo e mente em harmonia

sobre o chão. Enquanto nós estamos tocando a terra, nós deixamos as palmas das mãos abertas para cima, mostrando nossa abertura para as Três Joias – o Buda, o Darma e a *Sangha*. Mesmo depois de praticar os *Cinco Toques* ou os *Três Toques* apenas por uma ou duas vezes, já podemos aliviar muito do nosso sofrimento e do sentimento de alienação e nos reconciliar com nossos antepassados, pais, filhos e amigos.

Os cinco toques na terra

I

Em gratidão, eu me inclino diante de todas as gerações de antepassados da minha família de sangue.

[SINO]

[TODOS TOCAM A TERRA]

Eu vejo minha mãe e meu pai, cujo sangue, carne e vitalidade estão circulando em minhas próprias veias e nutrindo cada célula dentro de mim. Por meio deles, eu vejo meus quatro avós. As expectativas, experiências e sabedoria deles foram transmitidas de muitas gerações de antepassados. Eu carrego, em minha vida, o sangue, a experiência, a sabedoria, a felicidade e o pesar de todas as gerações. O sofrimento e todos os elementos que precisam ser transformados, eu estou praticando para transformar. Eu abro meu coração, minha carne e meus ossos para receber a energia do *insight*, do amor e da experiência transmitida a mim por todos meus antepassados. Eu vejo as minhas raízes em meu pai, mãe, avôs, avós e todos os meus antepassados. Eu sei que sou somente a continuação desta linhagem de antepassados. Por favor, apoiem, protejam e transmitam para mim a sua energia. Eu sei que onde quer que estejam filhos e netos, lá estão também os antepassados deles. Eu sei que pais sempre amam e apoiam os filhos

Exercício para a nutrição de um corpo buda e de uma mente buda

e netos, mesmo que eles nem sempre sejam capazes de expressar isto de forma habilidosa, em função das dificuldades que eles próprios encontraram. Eu vejo que meus antepassados tentaram construir uma forma de vida baseada na gratidão, na alegria, na confiança, no respeito e na bondade amorosa. Como uma continuação de meus antepassados, eu profundamente me inclino diante deles e permito que a energia que emana deles flua através de mim. Eu peço apoio, proteção e força para meus antepassados.

[TRÊS RESPIRAÇÕES]

[SINO]

[TODOS LEVANTAM]

II

Em gratidão, eu me inclino diante de todos os meus antepassados da minha família espiritual.

[SINO]

[TODOS TOCAM A TERRA]

Eu vejo em mim meus professores, aqueles que me mostraram a forma de amor e de compreensão, a forma de respirar, sorrir, perdoar e viver profundamente no momento presente. Eu vejo, por intermédio de meus professores, todos os professores de muitas gerações e tradições acima, retornando até aqueles que começaram a minha família espiritual há milhares de anos. Eu vejo Buda ou Cristo ou os patriarcas e as matriarcas como meus professores e também como meus antepassados espirituais. Eu vejo que a energia deles e de muitas gerações de professores entrou em mim e está criando paz, alegria, compreensão e bondade amorosa dentro de mim. Eu sei que a energia desses professores mudou profundamente o mundo. Sem o Buda e todos estes antepassados espirituais, eu não saberia a forma de praticar e trazer

Corpo e mente em harmonia

paz e felicidade para minha vida e para a vida das pessoas da minha família e sociedade. Eu abro meu coração e meu corpo para receber a energia da compreensão, da bondade amorosa e da proteção das Pessoas Despertas, os ensinamentos delas e a comunidade de prática de muitas gerações. Eu sou a continuação dos meus antepassados de minha família espiritual. Eu peço para que estes antepassados espirituais me transmitam a fonte de energia infinita, a paz, a estabilidade, a compreensão e o amor deles. Eu prometo praticar para transformar o sofrimento em mim e no mundo e para transmitir a energia deles para as futuras gerações de praticantes. Meus antepassados espirituais podem ter as dificuldades próprias deles e não conseguir sempre estar disponíveis para transmitir seus ensinamentos, mas eu os aceito como eles são.

[TRÊS RESPIRAÇÕES]

[SINO]

[TODOS LEVANTAM]

III

Em gratidão, eu me inclino diante desta terra e de todos os antepassados que tornaram esta terra acessível[13].

[SINO]

[TODOS TOCAM A TERRA]

Eu vejo que eu sou completo, protegido e nutrido por esta terra e todos os seres vivos que estiveram aqui e tornaram a vida mais fácil e possível para mim, por meio de todos os esforços deles. Eu vejo Chefe Seattle, Thomas Jefferson, Dorothy Day, Cesar Chavez, Martin Luther King Jr., e todos os outros, conhecidos ou não. Eu vejo todos

---

[13] Substitua os nomes dos antepassados por nomes apropriados ao seu país.

Exercício para a nutrição de um corpo buda e de uma mente buda

estes que fizeram deste país um refúgio para pessoas de tantas origens e cores, pelo talento deles, perseverança e amor – aqueles que trabalharam pesado para construir escolas, hospitais, pontes e estradas; para proteger os direitos humanos; para desenvolver ciência e tecnologia, e que lutaram por liberdade e por justiça social. Eu me vejo tocando meus antepassados nativos americanos que viveram nesta terra por tanto tempo e que conheciam maneiras de viver em paz e harmonia com a natureza, protegendo montanhas, florestas, animais, vegetais e minerais desta terra. Eu sinto a energia desta terra penetrando meu corpo e alma, apoiando e aceitando como eu sou. Eu prometo cultivar e manter esta energia e transmiti-la para futuras gerações. Eu prometo contribuir com a minha parte para transformar a violência, o ódio e a ilusão que ainda repousam profundamente na consciência coletiva da sociedade para que as futuras gerações tenham mais segurança, alegria e paz. Eu peço proteção e apoio para esta terra.

[TRÊS RESPIRAÇÕES]

[SINO]

[TODOS LEVANTAM]

IV

Em gratidão e com compaixão, eu me curvo e transmito a minha energia para aqueles que eu amo.

[SINO]

[TODOS TOCAM A TERRA]

Toda energia que recebi desejo agora transmitir para meu pai, minha mãe, todos que eu amo, todos que sofreram e se preocuparam por minha causa e em consideração a mim. Eu sei que não tenho sido suficientemente atento em minha vida cotidiana. Eu também sei que aqueles que me amam possuem suas próprias dificuldades. Eles sofre-

Corpo e mente em harmonia

ram porque não tiveram a sorte de ter um ambiente que encorajasse o desenvolvimento completo deles. Eu transmito minha energia para minha mãe, meu pai, meus irmãos, minhas irmãs, meus entes amados, meu marido, minha esposa, minha filha e meu filho, para que a dor deles seja aliviada e, assim, eles possam sorrir e sentir alegria por estarem vivos. Eu desejo que todos eles sejam saudáveis e alegres. Eu sei que, quando eles estiverem felizes, eu também estarei feliz. Eu não sinto mais ressentimento por nenhum deles. Eu rezo para que todos os meus antepassados das minhas famílias de sangue e espiritual focalizem energias em direção a cada uma das pessoas amadas, para proteger e para apoiar cada um deles. Eu sei que não sou separado deles. Eu sou um com aqueles que eu amo.

[TRÊS RESPIRAÇÕES]

[SINO]

[TODOS LEVANTAM]

V

Com compreensão e compaixão, eu me curvo para me reconciliar com todos aqueles que me fizeram sofrer.

[SINO]

[TODOS TOCAM A TERRA]

Eu abro meu coração e envio em meu lugar a minha energia de amor e compreensão para todos os que me fizeram sofrer, para aqueles que destruíram muito da minha vida e da vida daqueles que eu amo. Eu sei agora que estas pessoas passaram por muito sofrimento e que o coração delas está sobrecarregado de dor, ira e ódio. Eu sei que, qualquer um que sofre assim, fará as pessoas ao redor sofrer. Eu sei que eles podem ter sido desafortunados e nunca terem tido a oportunidade de receber cuidados e amor. Vida e sociedade os trataram com tantas

Exercício para a nutrição de um corpo buda e de uma mente buda

misérias. Eles foram injustiçados e abusados. Eles não foram guiados para o caminho da vida atenta. Eles acumularam percepções errôneas sobre a vida, sobre mim e sobre nós. Eles nos prejudicaram e àqueles que amamos. Eu rezo para os antepassados das minhas famílias de sangue e espiritual, para que eles canalizem, até as pessoas que me fizeram sofrer, a energia do amor e da proteção, para que os corações delas sejam capazes de receber o néctar do amor e da florescência como uma flor. Eu oro para que elas possam ser transformadas e que consigam vivenciar a alegria de viver e, assim, não continuem provocando sofrimentos para elas mesmas e para os outros. Eu vejo o sofrimento daqueles que me fizeram sofrer e não desejo alimentar nenhum sentimento de ira ou ódio, em mim mesmo, para com eles. Eu não desejo que eles sofram. Eu canalizo a minha energia de amor e de compreensão para eles e peço a todos meus antepassados para enviarem ajuda a eles.

[TRÊS RESPIRAÇÕES]

[SINO]

[TODOS LEVANTAM]

Os três toques na terra

I

Ao tocar a terra eu me conecto com meus antepassados e descendentes, tanto os espirituais quanto os de sangue.

[SINO]

[TODOS TOCAM A TERRA]

Meus antepassados espirituais incluem o Buda, os *Bodhisattvas* e a nobre *Sangha* dos discípulos do Buda [INSIRA NOMES DE OUTROS QUE VOCÊ DESEJA INCLUIR] e meus próprios mestres que ainda estão vivos ou que já faleceram. Eles estão presentes em mim porque eles

Corpo e mente em harmonia

transmitiram para mim as sementes da paz, da sabedoria, do amor e da felicidade. Eles despertaram em mim meus recursos de compreensão e compaixão. Quando eu olho para os meus antepassados espirituais, eu vejo aqueles que são perfeitos na prática dos treinamentos da plena atenção, da compreensão e da compaixão, e aqueles que ainda estão imperfeitos. Eu aceito a todos porque eu vejo dentro de mim deficiências e fraquezas. Sabendo que a minha prática da plena atenção não é sempre perfeita, e, desta forma, não sou sempre tão compreensivo e compassivo quanto eu gostaria de ser, abro meu coração e aceito todos os meus descendentes espirituais. Alguns de meus descendentes praticam os treinamentos da plena atenção, da compreensão e da compaixão de uma forma que inspira confiança e respeito, mas há também aqueles que enfrentam muitas dificuldades e estão constantemente sujeitos a altos e baixos na prática deles.

[TRÊS RESPIRAÇÕES]

[SINO]

[TODOS LEVANTAM]

II

Ao tocar a terra, eu me conecto a todas as pessoas e a todas as espécies que estão vivas neste momento, neste mundo comigo.

[SINO]

[TODOS TOCAM A TERRA]

Eu sou um com o maravilhoso exemplo da vida que irradia em todas as direções. Eu vejo a conexão próxima que existe entre mim e os outros, como compartilhamos felicidade e sofrimento. Eu sou um com aqueles que nasceram inválidos ou que se tornaram inválidos por causa de guerra, por acidente ou por doença. Eu sou um com aqueles que são aprisionados em situação de guerra ou de opressão. Eu sou

Exercício para a nutrição de um corpo buda e de uma mente buda

um com aqueles que não encontram felicidade na vida familiar, que não têm raiz, nem paz de espírito, que são sedentos de compreensão e amor e que estão procurando por algo belo, saudável e verdadeiro para abraçar e para acreditar. Eu sou alguém no momento da morte que está com muito medo e não sabe o que irá acontecer. Eu sou uma criança que vive em um lugar onde existe pobreza miserável e doenças, cujas pernas e braços são magros como varas e que não possui futuro. Eu sou também o produtor das bombas que são vendidas para os países pobres. Eu sou o sapo nadando no laguinho e sou, também, a cobra que necessita do corpo do sapo para nutrir o corpo dela. Eu sou a lagarta ou a formiga que o pássaro está procurando para comer e eu também sou o pássaro que está procurando pela lagarta ou pela formiga. Eu sou a floresta que está sendo devastada. Eu sou o rio e o ar que estão sendo poluídos, sou também a pessoa que devasta a floresta e polui os rios e o ar. Eu me vejo em todas as espécies e eu vejo todas as espécies em mim.

Eu sou um com os grandes seres que se deram conta da verdade do não nascimento e da não morte e que são capazes de olhar para as formas de nascimento e morte, felicidade e sofrimento, com olhos tranquilos. Eu sou um com aquelas pessoas – que podem ser encontradas um pouco em todos os lugares – que possuem, suficientemente, paz de espírito, compreensão e amor, que são capazes de tocar o que é belo, nutritivo e o que cura, que também são capazes de abraçar o mundo com um coração de amor e braços de ações caridosas. Eu sou alguém que possui suficiente paz, alegria e liberdade e que é capaz de oferecer coragem e alegria para os seres vivos que estão ao redor. Eu vejo que eu não estou só e desligado. O amor e a felicidade dos grandes seres neste planeta me ajudam a não afundar no desespero. Eles me ajudam a viver minha vida de maneira significativa, com verdadeira paz e felicidade. Eu vejo todos em mim e eu me vejo em todos.

Corpo e mente em harmonia

[TRÊS RESPIRAÇÕES]

[SINO]

[TODOS LEVANTAM]

III

Ao tocar a Terra, eu abandono a ideia de que eu sou este corpo e que meu tempo de vida é limitado.

[SINO]

[TODOS TOCAM A TERRA]

Eu vejo que este corpo, que é constituído dos quatro elementos, não sou realmente eu e eu não sou limitado por este corpo. Eu sou uma parte da corrente de vida dos antepassados espirituais e de sangue que, por milhares de anos, tem fluído até o presente e que fluirá adiante, por milhares de anos, em direção ao futuro. Eu sou um com meus antepassados. Eu sou um com todas as pessoas e todas as espécies, sejam elas pacíficas e corajosas ou sofredoras e medrosas. Neste exato momento, eu estou presente em todos os lugares deste planeta. Eu também estou presente no passado e no futuro. A desintegração deste corpo não me afeta, da mesma forma que, quando a flor de ameixa cai, não significa o fim da ameixeira. Eu me vejo como uma onda na superfície do oceano. Minha natureza é a água do oceano. Eu me vejo em todas as outras ondas e vejo todas as outras ondas em mim. O surgimento e o desaparecimento da forma da onda não afetam o oceano. Meu corpo Darma e minha vida espiritual não são sujeitos ao nascimento e à morte. Eu vejo a minha presença antes do meu corpo ter se manifestado e, também, depois do meu corpo ter se desintegrado. Mesmo neste momento, eu vejo que eu existo em todos os outros lugares para além do meu corpo. Setenta ou oitenta anos não é meu tempo de vida. Meu tempo de vida, como o tempo de vida

Exercício para a nutrição de um corpo buda e de uma mente buda

de uma folha ou de um buda, é ilimitado. Eu fui para além da ideia de que eu sou um corpo que está separado no espaço e no tempo de todas as outras formas de vida.

[TRÊS RESPIRAÇÕES]

[SINO]

[TODOS LEVANTAM]

Relaxamento profundo

Descansar é uma pré-condição para a cura. Quando os animais na floresta se ferem, eles encontram um local para se deitar e descansam completamente por muitos dias. Eles não pensam em comida ou qualquer outra coisa. Eles apenas descansam e conseguem a cura que desejam. Quando nós humanos nos tornamos sobrecarregados com estresse, nós podemos ir até a farmácia e comprar medicamentos, mas nós não paramos. Nós não sabemos como ajudar a nós mesmos.

O estresse se acumula em nosso corpo. A maneira como comemos, bebemos e vivemos cobra um preço sobre o nosso bem-estar. O relaxamento profundo é uma oportunidade para nosso corpo descansar, sarar e ser restaurado. Nós relaxamos o corpo, focando nossa atenção em cada parte dele, sucessivamente, e mandamos nosso amor e cuidado para cada célula.

Respiração atenta e relaxamento total do corpo podem ser feitos em casa pelo menos uma vez por dia. Pode durar cerca de vinte minutos ou mais. A sala de estar pode ser usada para praticar o relaxamento total. Um membro da família pode conduzir a sessão de relaxamento total. E os jovens podem aprender a conduzir uma sessão de relaxamento total para toda família.

Eu penso que, no século XXI, nós deveríamos arrumar um ambiente para o relaxamento total na escola. Se você é um professor de escola,

Corpo e mente em harmonia

você pode ministrar as técnicas e convidar os alunos para praticar o relaxamento total antes da aula ou no meio do período, numa posição sentada ou deitada. Professores e alunos podem apreciar a prática da respiração atenta e do relaxamento total juntos. Isto ajuda os professores a terem menos estresse, ajuda os alunos e traz a dimensão espiritual para dentro da escola. Se você é um médico, você pode ministrar as técnicas e ajudar os pacientes. Se os pacientes conhecem a arte da respiração atenta e do relaxamento total, a capacidade de eles curarem a si mesmos irá aumentar e o processo de cura se instaurará mais rapidamente. Na Assembleia Nacional dos Estados Unidos, no Congresso americano, os membros também podem praticar o relaxamento total e a respiração atenta. Algumas vezes, os debates no Parlamento podem seguir noite adentro. Muitos membros ficam sob estresse. Nós desejamos que os membros do Parlamento americano se mantenham relaxados, que se sintam bem, para que eles consigam tomar as melhores decisões possíveis. Esta não é uma prática sectária ou religiosa, é científica. Uma sessão de prática já pode trazer bons resultados para todos que praticam. É muito importante praticar o relaxamento profundo.

Se você possui problemas para dormir bem e por tempo suficiente, o relaxamento profundo pode compensar. Deitado, acordado na sua cama, você pode desejar praticar o relaxamento total e acompanhar a sua inspiração e expiração. Algumas vezes, isto ajuda você a dormir um pouco. Mas mesmo se você não dormir, a prática ainda é muito boa, porque pode nutrir você e permitir que você descanse. Você também pode ouvir belas canções: isto ajuda muito a aliviar e a nutrir. É muito importante que você se permita descansar.

Quando fazemos o relaxamento profundo em um grupo, uma pessoa pode orientar o exercício usando as seguintes sugestões e algumas variações delas. Quando você faz relaxamento profundo sozinho, você pode preferir gravar um exercício para seguir enquanto pratica.

Exercício para a nutrição de um corpo buda e de uma mente buda

Exercício de relaxamento profundo

Deite-se sobre as costas, com os braços esticados paralelos ao corpo. Fique em uma posição confortável. Permita que seu corpo relaxe. Esteja atento ao piso sob você... e ao contato do seu corpo sobre o piso (Pausa). Permita que seu corpo se afunde para dentro do piso (Pausa).

Torne-se atento à sua inspiração e expiração. Esteja atento aos movimentos de preencher e esvaziar seu abdômen ao inspirar e expirar (pausa)... preencher... esvaziar... preencher... esvaziar (Pausa).

Inspire, dirija sua atenção aos olhos. Expire, deixe seus olhos relaxarem. Permita que seus olhos afundem para dentro da cabeça... Libere a tensão de todos os pequenos músculos em volta dos seus olhos... Nossos olhos possibilitam que vejamos um paraíso de formas e cores... Deixe seus olhos descansarem... Envie amor e gratidão para seus olhos... (Pausa).

Inspire, dirija sua atenção para a boca. Expire, deixe a boca relaxar. Alivie a tensão em volta da boca... Seus lábios são as pétalas de uma flor... Deixe um sorriso suave aflorar em seus lábios... Sorrir libera a tensão das centenas de músculos da face... Sinta a tensão sendo liberada de suas bochechas... Seus maxilares... Sua garganta... (Pausa).

Inspire, dirija sua atenção para os ombros. Expire, deixe seus ombros relaxarem. Solte os ombros e deixe que se afundem para dentro do piso... Deixe a tensão acumulada fluir para dentro do piso... Nós carregamos tanto com nossos ombros... Agora permita que eles relaxem enquanto nós cuidamos de nossos ombros... (Pausa).

Inspire, torne-se ciente dos seus braços. Expire, relaxe seus braços. Solte os braços e deixe que se afundem para dentro do piso... A parte superior dos seus braços... Seus cotovelos... Seus antebraços... Seus pulsos... Mãos... Dedos... Todos os pequenos músculos... Mexa seus dedos um pouco se você precisar, para ajudar no relaxamento dos músculos (Pausa).

Corpo e mente em harmonia

Inspire, dirija sua atenção para o coração. Expire, deixe seu coração relaxar (Pausa). Nós temos negligenciado nosso coração por tanto tempo... Pela forma como trabalhamos, comemos e lidamos com a ansiedade e com o estresse... (Pausa)... Nosso coração bate por nós dia e noite... Abrace seu coração com plena atenção e ternura... Reconciliando-se e cuidando dele... (Pausa).

Inspire, dirija sua atenção para as pernas. Expire, deixe suas pernas relaxarem. Libere toda tensão das pernas... Das coxas... Dos joelhos... Das panturrilhas... Dos tornozelos... Dos pés... Dos dedos dos pés... De todos os pequenos músculos dos dedos dos pés... Você pode querer mover os dedos dos pés um pouco para ajudar o relaxamento... Mande seu amor e cuidado para os dedos dos pés... (Pausa).

Inspire, expire... Todo meu corpo se sente leve... Como uma vitória-régia flutuando sobre a água... Eu não tenho lugar algum para ir.... Eu sou livre como uma nuvem flutuando no céu... (Pausa).

(Canção ou música por alguns minutos). (Pausa).

Dirija sua atenção de volta para sua respiração... Seu abdômen se preenchendo e esvaziando (Pausa).

Seguindo a sua respiração, torne-se ciente de seus braços e pernas... Você pode desejar se mover um pouco e esticar seus braços e pernas (Pausa).

Quando você se sentir preparado, sente-se lentamente (Pausa).

Quando você estiver preparado, levante-se lentamente.

Nesse exercício, você pode guiar a sua atenção para qualquer parte do corpo: o cabelo, couro cabeludo, cérebro, orelhas, pescoço, pulmões, cada um dos órgãos internos, o sistema digestório, pélvis e para cada parte do corpo que precisa de cura e atenção, abraçando cada parte e mandando amor, gratidão e cuidado, enquanto nós mantemos esta parte sob nossa atenção, inspirando e expirando.

Apêndices

A
Os versos sobre as características das oito consciências

八識規矩頌

Por Mestre Hsüan-Tsang da Dinastia Chinesa Tang (ca. 596-664 C.E.)

Traduzido do chinês por Thich Nhat Hanh

Versos sobre as cinco primeiras consciências

性境現量通三性，眼耳身三二地居；
徧行別境善十一，中二大八貪瞋癡。

O objeto das primeiras cinco consciências é a esfera da natureza, o modo de conhecimento delas é direto e a natureza delas pode ser tanto benéfica quanto prejudicial ou neutra. Na Segunda Terra, funcionam apenas as consciências dos olhos, ouvidos e do corpo. As cinco consciências dos sentidos funcionam com as cinco Universais; com as cinco formações mentais Particulares; com as onze formações mentais Benéficas; com as duas formações mentais Prejudiciais Secundárias Intermediárias (falta de pudor interior, falta de pudor perante os outros); com as oito formações mentais Secundárias Maiores e com o desejo ardente, o ódio e a confusão.

五識同依淨色根，九緣七八好相鄰；
合三離二觀塵世，愚者難分識與根。

Corpo e mente em harmonia

Todas as cinco consciências funcionam sobre a base dos Órgãos Puros dos Sentidos, dependendo de nove, oito ou sete condições. Elas observam o mundo do pó; duas delas à distância; três do contato direto. Pessoas ingênuas acham difícil distinguir entre órgão e consciência.

變相觀空唯後得, 果中猶自不詮真;
圓明初發成無漏, 三類分身息苦輪。

É graças à Sabedoria Tardiamente Adquirida que as cinco consciências podem contemplar a vacuidade na forma manifesta dela. Desta maneira, mesmo depois da iluminação, as cinco consciências, por elas mesmas, ainda não são capazes de alcançar a verdadeira vacuidade. Quando a oitava consciência é transformada na Sabedoria do Grande Espelho, as cinco consciências dos sentidos podem atingir o estado de "não vazamento" (*anasvara*). Por isso, os três tipos de corpos em manifestação estão disponíveis para nos ajudar a encerrar o ciclo de sofrimento no mundo.

Verso sobre a sexta consciência

三性三量通三境, 三界輪時易可知;
相應心所五十一, 善惡臨時別配之。

A sexta consciência pode ser facilmente observada quando ela funciona nas três naturezas, nos três modos de conhecimento, nos três tipos de objetos de conhecimento e quando ela ainda vai para os três domínios. Esta consciência funciona com todas as cinquenta e uma formações mentais. Sejam elas benéficas ou prejudiciais, a natureza delas depende do tempo e da ocasião.

性界受三恒轉易, 根隨信等總相連;
動身發語獨為最, 引滿能招業力牽。

Relacionados à sexta consciência, as três naturezas, os três domínios e os três sentimentos estão em transformação e mudança permanentes. As seis formações mentais Prejudiciais Primárias, as vinte formações mentais Prejudiciais Secundárias e as onze formações mentais Benéficas (como fé, etc.) estão todas relacionadas. A sexta consciência constitui a principal força dinâmica à fala e à ação que irão determinar futuras retribuições em ambos os aspectos geral e particular.

發起初心歡喜地，俱生猶自現纏眠；
遠行地後純無漏，觀察圓明照大千。。

Mesmo quando a pessoa praticante entra na Terra da Alegria com o *bodhisattva* da mente de iniciante dela, o apego inato a um eu ainda permanece adormecido nas profundezas da consciência dela. Somente quando a pessoa alcança a Sétima Terra, a chamada Terra de Alcance Distante, que esta consciência se liberta dos "vazamentos". Neste momento, a sexta consciência se torna a Sabedoria da Contemplação Maravilhosa, iluminando todo cosmo.

Versos sobre a sétima consciência

帶質有覆通情本，隨緣執我量為非；
八大偏行別境慧，貪癡我見慢相隨。

Obscura, como um objeto que carrega alguma substância ligando o Amor e a Base, a sétima consciência sempre segue e se une à Base como um eu. O modo de conhecimento dela é errôneo. Ela funciona com as cinco Universais, as oito formações mentais Secundárias Maiores, com *mati* (uma das cinco Particulares) e com o autoamor (貪, desejo ardente), autoilusão (癡, ignorância), autovisão (見, visão errônea) e autoapreço (慢, arrogância).

Corpo e mente em harmonia

恒審思量我相隨，有情日夜鎮昏迷；
四惑八大相應起，六轉呼爲染淨依。

Continuamente seguindo e agarrando o objeto do eu, esta consciência induz ao estado de sonho e confusão nos seres vivos dia e noite. As quatro aflições e as oito formações mentais Secundárias Maiores sempre se manifestam e funcionam com a sétima consciência. Esta consciência também é chamada de base da profanação e da pureza para as outras seis consciências em evolução.

極喜初心平等性，無功用行我恒摧；
如來現起他受用，十地菩薩所被機。

Quando o praticante alcança a Terra da Alegria Extrema, a natureza da equanimidade começa a se revelar. Quando ele chega à Oitava Terra, a Terra da Ausência de Esforço, a ilusão do eu foi deixada para trás. Neste momento, *Tathagatha* manifesta Seu Corpo em consideração aos outros e todos os *bodhisattvas* das dez terras se beneficiam da presença dele.

Verso sobre a oitava consciência (Armazém)

性唯無覆五徧行，界地隨他業力生；
二乘不了因迷執，由此能興論主諍。

Com a natureza indeterminada (e não obscura), a oitava consciência funciona com as cinco Universais. Domínios e Terras dependem do poder cármico. As pessoas pertencentes aos Veículos inferiores não têm conhecimento sobre a oitava consciência, por causa do apego e das visões errôneas delas. É por esta razão que elas ainda debatem sobre a existência da oitava consciência.

Os versos sobre as características das oito consciências

浩浩三藏不可窮，淵深七浪境爲風；
受熏持種根身器，去後來先作主翁。

Quão imenso é o Triplo Armazém Insondável! As sete ondas das sete consciências em evolução surgem da profundeza do oceano da consciência armazém, sendo o vento o objeto do conhecimento delas! Esta consciência recebe impregnação, preservando todas as sementes e também o corpo, os órgãos e o ambiente. É aquela que chega primeiro e vai embora por último, sendo verdadeiramente a senhora da casa!

不動地前纔捨藏，金剛道後異熟空；
大圓無垢同時發，普照十方塵刹中！

Antes de chegar à Terra da Imobilidade, a função da oitava consciência é abandonada. Depois de chegar ao Caminho Diamante, não há mais retribuição. A Sabedoria do Grande Espelho e a Consciência Imaculada aparecem ao mesmo tempo, iluminando os inúmeros campos de budas nas dez direções.

B

Cinquenta e uma formações mentais

SÂNSCRITO	INGLÊS	PORTUGUÊS
sarvatraga	**5 Universals**	**Cinco Universais**
sparsa	contact	contato
manaskara	attention	atenção
vedana	feeling	sentimento
samjna	perception	percepção
cetana	volition	volição
viniyata	**5 Particulars**	**Cinco Particulares**
chanda	intention	intenção
adhimoksa	determination/con- viction	determinação/convicção
smrti	mindfullness	plena atenção
samadhi	concentration	concentração
prajna (mati)	insight	*insight*
kusala 11	**Wholesome**	**Benéficas (saudáveis)**
sraddha	faith	fé
hri	inner shame	pudor interior
apatrapya	shame before others	pudor perante outros
alobha	absence of craving	ausência de desejo ardente
advesa	absence of hatred	ausência de ódio
amoha	absence of ignorance	ausência de ignorância
virya	diligence, energy	diligência (cuidado), energia
prasjbdhi	tranquility, ease	tranquilidade, facilidade
apramada	vigilance, energy	vigilância (cautela), energia
upeksa	equanimity	equanimidade
ahimsa	non-harming	não prejudicial/inofensivo

Corpo e mente em harmonia

	Wholesome mental formations added by Thich Nhat Hanh	Formações mentais benéficas (saudáveis) adicionadas por Thich Nhat Hanh
abhaya	non-fear	não medo
asoka	absence of anxiety	ausência de ansiedade
sthira	stability, solidity	estabilidade, solidez
maitri	loving kindness	bondade amorosa
karuna	compassion	compaixão
mudita	joy	alegria
sagauravata	humility	humildade
sukha	happiness	felicidade
nirjvara	feverlessness	ausência de febre (de exaltação ou de paixão)
vasika	freedom, sovereignity	liberdade, soberania
klesa	**6 Primary Unwholesome**	**Seis Prejudiciais (não saudáveis) Primárias**
raga	craving, covetousness	desejo ardente, cobiça (avareza)
pratigha	hatred	ódio (raiva)
mudhi	ignorance, confusion	ignorância, confusão
mana	arrogance	arrogância
vicikitsa	doubt, suspicion	dúvida, suspeita
drsti	wrong view	visão errônea
upaklesa	**20 Secondary Unwholesome**	**Vinte Prejudiciais (não saudáveis) Secundárias**
	10 Minor Secondary Unwholesome	*Dez Prejudiciais (não saudáveis) Secundárias Menores*
krodha	anger	ira
upanaha	resentment, enmity	ressentimento, inimizade (animosidade)
mraksa	concealment	dissimulação

Cinquenta e uma formações mentais

pradasa	maliciousness	malignidade
irsya	jealousy	ciúmes
matsarya	selfishness, parsimony	egoísmo, parcimônia (avareza)
maya	deceitfulness, fraud	enganação, fraude
sathya	guile	astúcia (malícia)
vihimsa	desire to harm	desejo de provocar prejuízo
mada	pride	orgulho
	2 Middle Secondary Unwholesome	*Duas Prejudiciais (não saudáveis) Secundárias Intermediárias*
ahrikya	lack of inner shame	ausência de pudor interior
anapatrapya	lack of shame before others	ausência de pudor perante outros
	8 Greater Secondary Unwholesome	*Oito Prejudiciais (não saudáveis) Secundárias Maiores*
auddhatya	restlesness	agitação (inquietude)
styana	drowsiness	sonolência (entorpecimento)
sraddhya	lack of faith, unbelief	ausência de fé, descrença
pramada	laziness	preguiça
kausidya	negligence	negligência
musitasmrtita	forgetfulness	esquecimento
viksepa	distraction	distração (desordem)
samprajna	lack of discerniment	ausência de discernimento
	Unwholesome M.F. Added by Thich Nhat Hanh	**Prejudiciais (não saudáveis) adicionadas por Thich Nhat Hanh**
bhaya	fear	medo
soka	anxiety	ansiedade
visada	despair	desespero

Corpo e mente em harmonia

aniyata 4	Indeterminate	Indeterminadas
kaukytya	regret, repentance	pesar (tristeza), arrependimento
middha	sleepiness	sonolência (letargia)
vitarka	initial thought	pensamento inicial
vicara	sustained thought	pensamento sustentado

Espiritualidade

COLEÇÃO CLÁSSICOS DA

EDITORA VOZES

Conecte-se conosco:

f facebook.com/editoravozes

◉ @editoravozes

𝕏 @editora_vozes

▶ youtube.com/editoravozes

☎ +55 24 2233-9033

www.vozes.com.br

Conheça nossas lojas:

www.livrariavozes.com.br

Belo Horizonte – Brasília – Campinas – Cuiabá – Curitiba
Fortaleza – Juiz de Fora – Petrópolis – Recife – São Paulo

EDITORA VOZES LTDA.
Rua Frei Luís, 100 – Centro – Cep 25689-900 – Petrópolis, RJ
Tel.: (24) 2233-9000 – E-mail: vendas@vozes.com.br